BRASLUN O HANES
LLENYDDIAETH GYMRAEG

Braslun o Hanes Llenyddiaeth Gymraeg

GAN

SAUNDERS LEWIS

Caerdydd
Gwasg Prifysgol Cymru
1986

ⓗ Mair Jones, 1986 ©

Argraffiad cyntaf 1932

Adargraffwyd 1986

ISBN 0 7083 0944 5

ARGRAFFWYD GAN J. D. LEWIS A'I FEIBION
YNG NGWASG GOMER, LLANDYSUL, CEREDIGION.

(1.3.91

Rhagair

N<small>ID</small> oes raid ymddiheuro am sgrifennu rhagair hir i lyfr mor fyr â hwn, canys y rhagair yw'r unig ran o'r llyfr a saif wedi gorffen o'r beirniaid eu gwaith arno. Fe gofia'r darllenydd am baragraff Mr. R. T. Jenkins yn *Yr Apêl At Hanes* (tud. 127), lle y dangosir pa adeg yng nghwrs datblygiad gwybodaeth am bwnc y bydd "y llyfr bach i'r werin" yn beth posibl. Y llyfr presennol yw'r enghraifft enbytaf o dorri rheol ddiogel Mr. Jenkins.

Ystyried y darllenydd am foment y ffeithiau canlynol. Tegwch ag ef yw eu datgan yn groyw. Y mae saith o benodau yn fy llyfr. Gair byr yn awr ar rai ohonynt :

P<small>ENNOD</small> I : Nid oes hyd yn hyn unrhyw gytundeb barn ymysg ysgolheigion ar ddyddiadau'r caneuon Cymraeg sy'n gynharach na'r ddeuddegfed ganrif, ac ni olygwyd ond mymryn ohonynt yn derfynol. Myn rhai ysgolheigion mawr, yn enwedig yn Ffrainc, nad yw'r farddoniaeth Gymraeg hynaf sydd ar gadw yn mynd yn ôl ymhellach na'r nawfed ganrif. Dilynais innau ddamcaniaeth John Morris-Jones a briodolodd rai cerddi pwysig i flynyddoedd olaf y chweched ganrif. Ceir hefyd yn fy mhennod gyntaf ddamcaniaeth a gais egluro rhai o'r hen englynion yn *Llyfr Coch Hergest* a rhannau hefyd o *Lyfr Aneirin* drwy eu priodoli i ymarferiadau disgyblion yn ysgolion y beirdd. Yn awr, gan un gŵr yn unig yng Nghymru a'r tu allan i Gymru y mae awdurdod yn y maes hwnnw, sef yr Athro Ifor Williams o Goleg Bangor. Dangosais y bennod hon i Mr. Williams. Y mae ef yn llwyr anghytuno â'r ddamcaniaeth.

Paham gan hynny na ddileais i'r rhan honno ? Oblegid na wn i ddim eto am unrhyw esboniad arall ar y pethau a ddisgrifir. Pan ddaw llyfrau Mr. Williams ar *Y Gododdin* ac ar englynion y *Llyfr Coch* o'r stydi ac o'r wasg, bydd cyfnod newydd yn agor ar efrydiau Cymraeg Cynnar.

PENNOD III : Y mae'r anghytundeb gwylltaf ymysg ysgolheigion ar ddyddiad y *Pedair Cainc* a *Kulhwch ac Olwen*, ac nid yw beirniadaeth destunol a hanesyddol ond prin cychwyn ar *Beredur, Iarlles y Ffynnon, Geraint ac Enid*, etc. Maes gwyryfol yw rhyddiaith Gymraeg gynnar.

PENNOD V : Nid oes gennym eto argraffiad o waith Dafydd ap Gwilym. Ni feiddiwn am lawer gymryd llw mewn llys ynad mai ef a sgrifennodd y cwbl o'r darnau a briodolaf yn hy iddo.

PENNOD VII : Fel y dywedir ar ddechrau'r bennod hon, rhan fechan yn unig o farddoniaeth y bymthegfed ganrif a gyhoeddwyd eto. Ar hyn o bryd rhaid i bob ymdriniaeth ar y cyfnod fodloni ar ymbalfalu'n betrus.

Fe wêl y darllenydd gan hynny fod yr elfen ddamcaniaethol, a'r elfen o newyddwch hefyd, o anghenraid yn amlycach yn y llyfr hwn nag ydynt yn gyffredin yng Nghyfres y Brifysgol a'r Werin. Y mae felly'n syrthio rhwng dwy stôl, sef rhwng y brifysgol a'r werin. Nid yw'n ddigon manwl wrth brofi ei bwyntiau i'r ysgolheigion, ac nid yw'n ddigon syml i'r lleygwyr. Y mae peth o'r bai o leiaf ar gyflwr presennol efrydiau Cymraeg.

Gyda hynny, braslun yw'r llyfr. Ni ellid mewn cyfrol mor fechan ymdrin â'r holl feirdd ac awduron pwysig o ddechrau ein llenyddiaeth had at adeg uniad

Cymru a Lloegr yn 1535. Ceisiais ymdrin yn llawn
â'r rheini a luniodd—hyd y gellais i farnu—gwrs dat-
blygiad ein llên. Dyna'r allwedd i gynllun y llyfr.

I I

Y mae hanes llenyddiaeth Gymraeg yn ymrannu'n
naturiol yn ddau gyfnod, sef y cyfnod cyn uniad politic-
aidd Cymru a Lloegr, a'r cyfnod ar ôl yr uniad. Fy
ngobaith i yw y bydd gan hanesydd y dyfodol drydydd
cyfnod i'w ddisgrifio. Trwy'r rhan fwyaf o'r ail gyfnod,
gyda rhai eithriadau disglair iawn, llenyddiaeth ail radd
mewn gwerth a phwysigrwydd ymhlith llenyddiaethau
Ewrop yw'r Gymraeg. Nid felly yn y cyfnod a ddis-
grifir yn y llyfr hwn. Trwy gydol yr Oesoedd Canol
a hyd at 1535, mi gredaf fod llên Cymru yn un o'r tair
llenyddiaeth bwysicaf yn Ewrop.

Efallai y cwyna ambell ddarllenydd fod ar y mwyaf
o athroniaeth yn y llyfr hwn. Ni ellid hepgor hynny.
Yr oedd ysbryd yr Oesoedd Canol yn ddigon cyson a
chyffredin drwy holl wledydd Cred i'r hyn a ddywedodd
Francesco De Sanctis yn ei *Storia della Letteratura
Italiana* am lenyddiaeth yr Eidal ddal ei gymhwyso at
lenyddiaeth Gymraeg :

" Dysg yr ysgolion fu mam barddoniaeth Eidaleg
ac o'r ysgolion y daeth ei hysbrydiaeth. Athro
rhetoreg ym mhrifysgol Bologna oedd tad ein llen-
yddiaeth, a bwriodd ef i farddoniaeth Eidaleg holl
frwdfrydedd meddwl wedi ei lunio gan efrydiau
athronyddol i ymhyfrydu yn y problemau dyfnaf . . .
Nid ymhlith y bobl gyffredin y cychwynnodd llên
Eidaleg, ond yn yr ysgolion gyda Tomas o Acwin
ac Aristoteles a chyda Bonafentur a Phlaton . . .

vii

Doethineb ac athroniaeth ydoedd defnyddiau bardd-
oniaeth ac i ddynion wedi eu disgyblu yn yr ysgolion
y crewyd hi . . . "

Deil y geiriau hyn yr un mor wir am lenyddiaeth
Gymraeg. Ar wahân i hanes athroniaeth yr Oesoedd
Canol ni ellir dychmygu am ysgrifennu hanes ein llen-
yddiaeth. Trwy gydol cyfnod mawredd llên Cymru,
llên ddysgedig a chreadigaeth ysgolheigion oedd hi, yn
rhyddiaith ac yn farddoniaeth. Llwyr ysgariad Cymru
heddiw oddi wrth draddodiadau ei gorffennol ei hun a
barodd guddio'r ffaith elfennol hon cyhyd, ac a roes
fod i'r syniad a ledaenwyd yn ddiweddar y geill fod
gelyniaeth rhwng ysgolheictod ac awen.

III

Y mae arnaf ddiolch i'r Athro Ifor Williams am sgwrs
hir ac anghytuno brwdfrydig ar bwyntiau yn y bennod
gyntaf. Cefais hefyd fenthyg copïau o lawysgrifau oedd
yn amhrisiadwy i'm gwaith gan Mr. G. J. Williams,
Caerdydd. I bennaeth yr adran Gymraeg y gweithiaf
ynddi yng ngholeg Abertawe, yr Athro Henry Lewis,
yr wyf unwaith eto'n ddyledus am gywiro fy mhroflenni,
ac i Mr. Jenkin James, a faddeuodd imi er imi fod
ddwy flynedd yn hwyr yn cyflawni ei orchymyn i
sgrifennu'r llyfr, nid oes gennyf ond datgan fy niolch
am ei garedigrwydd cyson.

Aeth mwy na hanner canrif heibio er pan ymddangos-
odd y llyfr hwn gyntaf ac nis ailgyhoeddwyd o'r adeg
honno hyd heddiw. Yr oedd hynny'n ofid i'r awdur ac yn
sicr yn llai na haeddiant y llyfr. Er bod rhai o ddamcan-
iaethau Dr Lewis yn annerbyniol gan amryw o'r ysgol-
heigion Cymraeg mawr a gydoesai ag ef, y maent i gyd
yn seiliedig ar astudiaeth drwyadl o'r deunydd crai (i'r
graddau yr oedd hwnnw ar gael yr adeg honno) ac ar
fyfyrdod unigryw ddwys a threiddgar ar arwyddocâd y
deunydd hwnnw yng nghyd-destun hanes llên a meddwl
gorllewin Ewrop yn gyffredinol ; y maent hefyd wedi'u
traethu mewn arddull hynod ei hasbri a'i ddisgleirdeb.
Câi Dr Lewis bleser eironig yn ystod ei flynyddoedd olaf
o'r ffaith fod ysgolheigion galluog iawn ym Mhrifysgol
California wedi dod i gasgliadau digon tebyg i'r eiddo
ef wrth weithio ar yr Hengerdd. Er bod rhaid darllen y
llyfr hwn bellach yng ngoleuni'r holl astudiaethau yn
y maes a gyhoeddwyd er pan ymddangosodd, y mae'n
ddogfen eithriadol bwysig yn hanesyddiaeth llenyddiaeth
Gymraeg a bydd llawer yn falch odiaeth o'r cyfle i'w
brynu a'i ddarlien am y tro cyntaf.

Mai 1986   R. GERAINT GRUFFYDD

CYNNWYS

Braslun o Hanes Llenyddiaeth Gymraeg

Taliesin

YN yr hanes cynharaf sy gennym am fywyd bardd yng Nghymru sonnir amdano yn ddisgybl ac yn athro ac yn swyddog mewn cymdeithas. Y mae'n weddol sicr fod hynny'n wir amdano hyd yn oed yn y chweched ganrif ar ôl Crist. Parhaodd yr un modd hyd at derfyn yr unfed ganrif ar bymtheg. Am fil o flynyddoedd crwn bu barddoniaeth Gymraeg yn alwedigaeth ac yn ddisgyblaeth mewn ysgol. Y llys a'r neuadd a benderfynodd amodau'r gelfyddyd. Yr ysgol a luniodd ei dulliau.

Y mil blynyddoedd hyn o ysgolion beirdd a roes i lenyddiaeth Gymraeg ei chymeriad arbennig. Wele ddau arwydd o'r neilltuolrwydd sydd arni :

(1) I lenor Cymraeg sy'n sgrifennu heddiw y mae'r Oesoedd Canol, ac yn bennaf y cyfnod o'r ddeuddegfed ganrif hyd at yr unfed ar bymtheg, yn cyfrif, yn pwyso arno ac yn llywio ei waith, mewn dull na allai llenor yn Ffrainc neu yn yr Almaen neu yn Lloegr mo'i amgyffred. Wedi gorffen yr Oesoedd Canol y ffurfiwyd traddodiad llenyddol Ffrainc ; ar ôl hynny y mae iaith a llenyddiaeth yn Lloegr ac yn yr Almaen yn cychwyn ar gwrs didor. Y cyfnod a luniodd lên Cymru yw'r Oesoedd Canol.

1

Gellir dangos y gwahaniaeth yn olau ym meysydd geirfa a chystrawen : safon Ffrangeg da hyd heddiw yw Ffrangeg llys Louis XIV ; Saesneg safonol yw'r Saesneg a sgrifennodd llenorion dan y frenhines Ann ; ond Cymraeg cywir heddiw yw Cymraeg beirdd y bymthegfed ganrif. Gellir dadlau ai mantais neu an-fantais i lenor Cymraeg yw'r arbenigrwydd hwn. Fe erys y ffaith.

(2) Ail arbenigrwydd a roes ysgolion y beirdd ar lenyddiaeth Gymraeg yw unoliaeth ei datblygiad. Y mae llenyddiaeth Cymru hyd at yr ail ganrif ar bymtheg yn *un peth.* Gellir deall ystyr hyn drwy ei chyferbynnu hi â llên Lloegr. Nid oes gysylltiad gwirioneddol rhwng barddoniaeth Anglo-Saesneg a barddoniaeth Chaucer. Nid oes gysylltiad o gwbl rhwng Chaucer a beirdd llys Ann Boleyn a ddug y Dadeni i Lundain. Nid un peth yn tyfu ac yn newid yw llenyddiaeth Saesneg cyn oes Dryden, ond nifer o ffenomenau llenyddol mewn gwa-hanol ardaloedd yn gwbl annibynnol ar ei gilydd. Ni ellir yn gywir sôn am " draddodiad " yn llenyddiaeth Lloegr.

Y mae llenyddiaeth Gymraeg hyd at derfyn yr unfed ganrif ar bymtheg yn debyg i eglwys gadeiriol o'r Oesoedd Canol. Cymerwn esiampl sy'n gynefin i lawer o Gymry, sef prifeglwys Henffordd. Codwyd eglwys yn Henffordd yn y seithfed ganrif, ond tua therfyn yr unfed ar ddeg y dechreuwyd ar yr adeilad presennol. Felly, pan elom i mewn iddi, gwelwn godi corff yr eglwys a'r côr yn null ôl-Rufeinaidd y ddeuddegfed ganrif ; dyna hefyd ddull braich dde croes yr eglwys a rhan o'r tŵr. Yn y drydedd ganrif ar ddeg ychwanegwyd Capel y Wyryf y tu ôl i'r gangell, ac y mae hwnnw ar ddull Gothig cynnar ei gyfnod. Yn y ganrif wedyn, cyfnod Gothig Addurnol, gorffennwyd tŵr yr eglwys a chodwyd ystlysau newyddion ar bob ochr i'r corff. I'r bymthegfed ganrif y perthyn rhai o dlysau harddaf yr eglwys, megis y porth gogleddol, gem o gapel yr esgob Stanbury, y clasau oddi allan ; y mae eu bwâu hwynt a'u ffenestri ar ddull Unionddellt Seisnig eu hoes. Felly yn eglwys Henffordd gwelir holl ddulliau adeiladu pum canrif, ac er hynny un peth cyfan yw'r eglwys. Y rheswm am hynny yw bod traddodiad a thwf didor mewn pensaernïaeth o'r dull ôl-Rufeinaidd hyd at y Gothig Unionddellt diweddaraf. Gweithiai'r holl ben-seiri ar yr unrhyw egwyddor ac ar yr un problemau, ac yna yr oedd pob datblygiad ar ffurf bwa yn asio'n naturiol gyda'r bwa o'i flaen.

Fe dâl inni aros gyda'r gymhariaeth hon er mwyn deall cyfrinach barddoniaeth Gymraeg. Canys y mae ganddi ei chyfrinach. I'r efrydydd ifanc a ddaw i'w hastudio hi heddiw, yn enwedig i un a fagwyd ar lenyddiaeth Saesneg, y mae'r olwg gyntaf arni, ie a'r ail hefyd, yn bur ddiflas. Y mae llenyddiaeth Saesneg yn ddidd-orol ac yn bersonol ; llenyddiaeth unigolion ydyw. Y mae personoliaeth Chaucer yn beth byw, swynol gan bawb. Y mae syniadau a sylwadau Langland yn cynhyrfu'n chwilfrydedd ni heddiw. Gallwn adnabod y gwŷr hyn ac ymhoffi ynddynt. Trwy holl gyfnodau llenyddiaeth Saesneg delir ein diddordeb gan gymeriadau ei hawduron, eu hanes hwynt, helyntion eu gwaith a'u hoes. Ac wedyn y mae ganddynt hwythau straeon i'w dweud wrthym, lluniau o gymeriadau a welsant a disgrifiadau o fywyd fel y profasant ef. Llenyddiaeth ddiddorol ei chynnwys yw llenyddiaeth Lloegr o Beowulf hyd at Masefield.

Mor wahanol yw llên Cymru. Cymerwn enwau mawrion, Cynddelw, Dafydd Benfras, Dafydd Nanmor, Tudur Aled. Ni wyddom na dydd eu geni na dydd

eu marw. Nid erys un stori sicr amdanynt i'n diddori
ynddynt. Y mae hynny'n wir hefyd am bob un bardd
Cymraeg bron hyd at Bantycelyn. Trown at eu bardd-
oniaeth. Pencerdd i un o frenhinoedd mwyaf Cymru
oedd Dafydd Benfras a chanodd gannoedd o linellau
i'w glod. Canodd Dafydd Nanmor i dair cenhedlaeth
o deulu'r Tywyn yn y bymthegfed ganrif. Beth a
ddywed Dafydd Benfras wrthym am nodweddion per-
sonol Llywelyn Fawr ? Pa olau ar fywyd teuluaidd
uchelwr Cymreig a egyr Dafydd Nanmor inni ? Ychydig
ddigon. Fel defnyddiau i'r hanesydd cymdeithasol y
mae llawer o'r awdlau a'r cywyddau Cymraeg yn agos
at fod yn ddiwerth. Dyna sy'n hurtio efrydydd ifanc
a ddêl atynt y tro cyntaf, ac fe dry i ofyn : beth sy
gennych chwi mewn Cymraeg i gyfateb ag amrywiaeth
Shakespeare a Chaucer ?

Trown eto at ein heglwys gadeiriol. Awn y tro hwn
i Chartres yn Ffrainc. Ym mhyrth eglwys Chartres
ceir cannoedd o gampweithiau gwychaf cerfluniaeth
Ewrop, rhesi o ddelwau a bwâu dihafal y ddeuddegfed
ganrif a'r drydedd ar ddeg a'r bedwaredd ar ddeg.
Bu yno am ganrifoedd ysgolion o seiri nid llai eu camp
na Donatelo a'i ddilynwyr yng nghyfnod y Dadeni yn
Fflorens. Pwy oeddynt ? Beth yw eu henwau ? Pa fath
fywyd a fu iddynt ? Ni wyddom ddim. Nid oes un
stori amdanynt. Y mae gwaith pob saer (megis awdlau'r
beirdd Cymraeg) mor debyg i'w gilydd yn yr un cyfnod,
mor fwriadol undonog, fel mai prin iawn y gellir adnabod
llaw neb un crefftwr oddi wrth y llall. Dyna gyfrinach
celfyddyd yr Oesoedd Canol : tra bo artist heddiw yn
defnyddio celfyddyd i amlygu ei bersonoliaeth, yr oedd
artist yr Oesoedd Canol yn defnyddio ei bersonoliaeth i
gyfoethogi celfyddyd. Ni fynnai ef alw sylw ato'i hun
na cheisio bod yn wahanol i'w gilydd nac yn arbennig,
ond ymdrechai i gydymffurfio, i weithio gyda phob

artist arall er mwyn creu ceinder dienw, amhersonol, yn lân oddi wrth bob diddordeb damweiniol, diberthynas a dorrai ar unoliaeth heidiog yr adeilad Gothig.

Yr hyn sy gan lenyddiaeth Gymraeg i'w osod ochr yn ochr ag amrywiaeth a chyfoeth didrefn Shakespeare a'i gydwladwyr ydyw corff o lenyddiaeth sy megis prifeglwys Othig yn adeilad canrifoedd o grefftwyr a fu'n llafurio'n ddifwlch i'r un amcan ac yn ôl yr unrhyw draddodiad ac egwyddor. Wrth gwrs, ni ellir deall gwerth hynny na'i fwynhau mor ebrwydd a dibaratoad ag y mwynheir llawer llenyddiaeth arall. Fe hawlia, rhaid cyfaddef, rai blynyddoedd o astudiaeth. Nid ar un ymweliad ychwaith y mae mesur mawredd eglwys Chartres. Ond gellir tystio i hyn, mai profiad nid anhynod yw'r weledigaeth a gaffo'r neb a ddêl i amgyffred cyfanrwydd llenyddiaeth Gymraeg.

Peth hapus gan hynny yw bod ymhlith gweddillion hynaf ein barddoniaeth enghreifftiau lawer o waith ymarfer a gwaith dysgu disgyblion y penceirddiaid. Llyfrau copïau ysgolion y beirdd a roes eu cynnwys i rai o'r llawysgrifau hynaf ac enwocaf mewn Cymraeg. Trwyddynt, gallwn ddal y disgyblion wrth eu tasg yn yr ysgol, yn meistroli eu crefft, yn ymgynefino â'u moddau hi, yn ymberffeithio yn ei mesurau ac yn datblygu ei harbrofion hi. Fe ddichon mai casgliadau o waith disgyblion y penceirddiaid yw llawer o gynnwys tudalennau'r hengerdd yn *Llyfr Coch Hergest*, rhannau o'r *Llyfr Du*, a hyd yn oed *Lyfr Aneirin*. Cymerwn yn enghraifft rai o'r englynion yn y *Llyfr Coch*. Odid nad rhyw bencerdd a ganodd y cyntaf o'r gyfres am Stafell Gynddylan :

> Stafell Gynddylan ys tywyll heno
> heb dân heb wely :
> wylaf wers, tawaf wedy.

Rhoes yr englyn hwn batrwm i'r dilynwyr. Craffent hwythau ar ei ddull, ansoddair pwysig yr ail hanner llinell, y trydydd hanner-llinell yn ddisgrifiadol a negyddol, yna'r llinell olaf bersonol, ddwys yn mynegi amgyffred o'r trychineb. Wele yn awr ddisgybl cydwybodol yn dilyn ei athro gam a cham fel clochydd:

> Stafell Gynddylan ys tywyll heno,
> heb dân heb gannwyll:
> namyn Duw pwy a'm dyry pwyll?

Trown at ddisgybl trylwyr yn mentro'n ffyddiog ac annibynnol ar y ffurf:

> Stafell Gynddylan ys araf heno,
> gwedy colli 'i hynaf:
> y mawr drugarawg Dduw, pa wnaf?

Dyma'n nesaf ddisgybl gwahanol, un sy hefyd yn awenydd, canys chwedl Llywelyn ap y Moel mae yn y byd fil o gerddwyr am un awenydd, ac ychydig a fedr fel hwn droi rheolau yn dragwyddol heol:

> Stafell Gynddylan, a'm gwân i gweled,
> heb dōed heb dân:
> marw fy nglyw, byw fy hunan.

Edrychwn eto ar waith cerddor trwstan, diawen, un a ddysgodd drwy chwys y fformwla ac a lwyddodd wedi hir gnoi cil i lunio'r toddaid cyntaf yn weddol:

> Stafell Gynddylan ys tywyll i nen,
> gwedy gwen gyweithydd:

Ond pan ddaeth hi'n bryd dychmygu syniad annibynnol i'r drydedd linell fe aeth yn stwmp arno. Brysia

enaid, ebr y pencerdd, mae awr cinio yn ymyl. Brysiodd
y disgybl ; agorodd ei femrwn a chwiliodd am odl, ac
o'r diwedd adroddodd i'w feistr :

> Stafell Gynddylan ys tywyll i nen,
> gwedy gwen gyweithydd :
> gwae ni wna da a'i dyfydd.

Ceir lliaws mawr o englynion a phenillion eraill fel
hyn yn yr hen lyfrau yn diweddu mewn dihareb neu
foeswers. Caniateid hynny'n rhwydd yn ysgol y pen-
cerdd er mwyn ymarfer yn y mesurau. Y peth pwysig
oedd dysgu'r fformwla, cynllun y pennill, a defnyddid
diarhebion i'r amcan hwnnw megis yr arferai beirdd
Ffrainc mewn oesoedd diweddarach sgrifennu penillion
boustrimes. Weithiau hefyd, er mwyn ymarfer yn y
patrwm, byddai pencerdd a disgybl, neu ddisgyblion
gyda'i gilydd, yn cyfansoddi englynion bob eilwers, y
toddaid yn ddisgrifiadol yn ôl y rheol, a'r llinell fer olaf
yn cynnal yr ymddiddan. Pethau felly yw'r englynion
cyntaf yn y *Llyfr Coch*, ymddiddan dychmygol rhwng
dau sant.

Y mae yn anodd gwrthod y syniad mai un o lyfrau
ysgolion y beirdd yw *Llyfr Aneirin* hefyd. Y mae'r
nodiadau rhyddiaith a geir ar y gorchanau yn niwedd
y llyfr yn awgrymu'n gryf awyrgylch ysgol ac arholiadau.
Ai hynny yw'r *Gododdin*, sef cyfresi o benillion marwnad
a gyfansoddwyd mewn gwahanol gyfnodau gan ddis-
gyblion yn dysgu mesurau ac arddull a ddyfeisiesid
gyntaf gan bencerdd enwog yn y chweched neu'r seithfed
ganrif ? Buasai gyrru gŵr i Gatraeth, ei ladd yno a
disgrifio'n gynnil ei nodau, yn destun hylaw i wers
ysgol. Ac y mae ar liaws o'r penillion holl arwyddion
gwaith ymarfer efrydwyr, megis y fformwla agoriadol,
y mynych ailadrodd llinellau a defnyddio ystrydebau

hwylus, ac at hynny anghysondebau ynglŷn â'r ffeithiau
na raid ymboeni i'w hesbonio os caniateir mai ymarfer-
iadau disgyblion cerdd dafod yw rhannau helaeth o'r
canu. Cymysgwyd y cwbl blith draphlith gan gopïwyr
y llawysgrifau, ac ni ellir bellach roi trefn hyd yn oed
ar y gerdd wreiddiol.

Heblaw'r gwaith ysgol, ceir yn yr hen lawysgrifau
ganu ar lawer dull gan feirdd nad oeddynt gerddorion.
Mae'n debyg mai mynachod neu grefyddwyr a gyfan-
soddodd beth o gynnwys y *Llyfr Du* a *Llyfr Taliesin*.
Ni raid inni'n awr aros gyda'r canu hwnnw. Ni bu
erioed yn rhan o'r traddodiad llenyddol ; hynny yw, ni
bu'n rhan o'r addysg a draddodai pencerdd i'w ddisgybl.
Oblegid hynny ni chafodd ganlyniadau nac effaith
bwysig. Ond fe geir hefyd yn yr hen femrynau ganeuon
sy'n enghreifftiau sicr o waith penceirddiaid ac er
hynny a daflwyd allan o'r traddodiad llenyddol erbyn
y ddeuddegfed ganrif. Y mae'r caniadau hyn yn help
inni ddeall datblygiad yr estheteg Gymreig, ac y maent
yn bwysig ynddynt eu hunain. Yn eu plith y mae'r
darnau hynny yn *Llyfr Taliesin* yr erys ymdriniaeth y
diweddar John Morris-Jones â hwynt yn safonol hyd
heddiw. Dyma un ohonynt a elwir *Gweith Argoet
Llwyfein*, a dilynir testun diwygiedig John Morris-Jones :

> Bore duw Sadwrn kat vawr a vu
> O'r pan ddwyre heul hyt pan gynnu.
> Dygrysswys Fflamddwyn yn petwar llu
> Goddeu a Reget y ymdullu.
> Dyfu o Argoet hyt Arfynydd :
> Ny cheffynt eiryos hyt yr un dydd.
> Atorelwis Fflamddwyn vawr trebystawt,
> " A ddodynt gwystlon, a ynt parawt ? "
> Ys attebwys Owein, dwyrein ffosawt,

8

" Ny ddodynt gwystlon, nyt ynt parawt ".
A Cheneu vab Coel, byddei kymwyawc
Lew, kyn as talei o wystl nebawt.
Atorelwis Uryen, Udd Yrechwydd,
" O bydd ymgyfarvot am gerenhydd,
Dyrchafwn eidoedd odduch mynydd,
Ac amporthwn wyneb odduch emyl,
A dyrchafwn peleidr odduch pen gwŷr,
A chyrchwn Fflamddwyn yn y luydd
A lladdwn ac ef ae gyweithydd ".
  A rac Coet Llwyfein
  Bu llawer celein,
  Ruddei vrein
   rac gwaet gwŷr.
A gwerin a grysswys, cân eiliewydd
Amliaws blwyddyn nât wy kynnydd.

Cyfansoddwyd y gân uchod yn y chweched ganrif.
Stori am frwydr yw hi. Rhaid ei rhoi hi, ynghyd â
Gweith Gwen Ystrat a *Marwnat Owein* gan yr un bardd,
ymhlith campweithiau ffurfiol ein barddoniaeth. Craffwn
arni am funud. Ei chyfanrwydd a'n tery ni gyntaf oll.
y mae hi'n llenwi ei chroen fel afal ac mor ddiwastraff.
Y stori sy'n penderfynu maint y gân. Mwy na hynny,
y stori sy'n penderfynu pob tro technegol yn ei dat-
blygiad. Er enghraifft, y mae pob cyfnewidiad odl
yn arwyddo nid yn unig baragraff newydd eithr cam
pellach hefyd yn nhreigl yr hanes, a'r un modd y mae'r
newid mesur o'r gyhydedd nawban i'r toddaid wedi
araith Urien yn cyfleu'r cyfnewid llwyr o'r sefyllfa cyn
y brwydro i'r sefyllfa ar ei ôl. At hynny, defnyddir
yn yr awdl hon holl adnoddau storïwr, sef mynegiant
cyflym uniongyrchol yr agoriad, holi ac ateb dramatig,
areithio cynhyrfus, ac yna'r darlun lliwus, awgrymog
yn y diwedd : " Bu llawer celain, rhuddai frain rhag
gwaed gwŷr ". Mewn gair, yr oedd gan y bardd

Cymraeg yn y chweched ganrif feistrolaeth drwyadl ar "farddoniaeth ddiddorol ei chynnwys" ac ar y stori gyffrous mewn cân. A chan fod ysgolion didor yn cadw yn ddiogel bob darganfyddiad technegol a phob camp, y mae'n glir nad unrhyw ddiffyg medr yw'r rheswm y gwrthododd y traddodiad llenyddol yn ddiweddarach ganiatáu canu o'r math hwn am helyntion bywyd.

Efallai mai Taliesin ei hun, awdur y cerddi hanes hyn, sy'n gyfrifol hefyd am nas cadwyd hwynt yn rhan o gerdd dafod. Y mae chwedloniaeth a thraddodiad a thystiolaeth y ddeuddegfed ganrif yn unfryd yn enwi Taliesin yn "ben beirdd" Cymru, y cyntaf a'r mwyaf o'r penceirddiaid. "Taliesin ae cant ac a roddes braint iddo" yw haeriad y copïwr yn *Llyfr Aneirin*, ac ato ef hefyd yr apelia Cynddelw a Dafydd Benfras bob amser megis at awdurdod sylfaenydd. Nid oes un rheswm dros amau cywirdeb eu barn. Gwelsom eisoes fawredd crefft Taliesin yn ei awdlau hanes. Ym *Marwnat Owein*, "gorau yng Nghymru o waith Taliesin Ben Beirdd", fe gyfansoddodd un o'r epigramau hynny a wna'r iaith Gymraeg yn chwaer i'r Roeg. Creodd yn ei *Weith Gwen Ystrat* gymhariaeth na fedrodd cenhedlaeth ar ôl cenhedlaeth o feirdd ddim dianc oddi wrthi pan ddisgrifient ruthr brwydr :

> Mal tonnawr tost eu gawr dros elfydd
> Gweleis wŷr gwychyr yn lluydd.

Creodd ddarluniau clasurol o ryfel a marwolaeth :

> Kyscit Lloegr llydan nifer
> A lleuver yn eu llygeit.

Clywir atsain ei fetafforau a'i ansoddeiriau drwy ganrifoedd o awdlau a chywyddau Cymraeg. Ac eto nid enwyd ei gamp bwysicaf.

10

Camp fawr Taliesin oedd creu Urien. Tywysog ar y Brythoniaid yn Rheged yn y Gogledd oedd Urien, sef ar y rhan honno o Loegr a enwir yn awr yn Cumberland. Galwyd ef hefyd yn Udd neu Arglwydd Yrechwydd. Ffynnai, fe dybir, yn ail hanner y chweched ganrif, a thystia chwedl a thraddodiad ei fod yn llywydd nerthol i'r Brythoniaid yn eu rhyfeloedd cynnar yn erbyn y Saeson. Gwnaeth Taliesin ef yn batrwm a theip o'r Tywysog Cymreig. Creodd ohono ffigur delfrydol, y delfryd arbennig Gymreig o frenin. Amddiffynnydd yw ef yn anad dim, ceidwad, gwyliwr dros ddiogelwch ei henfro. Gyr ryfel ymhell o'i deyrnas drwy achub y blaen ar y gormeswyr ac ymosod arnynt gan losgi eu tai a dwyn eu da a'u cadw o hyd mewn dychryn rhagddo :

> Lloegrwys a'i gwyddant pan ymadroddant . . .
> Tân yn nhai cyn dydd rhag Udd Yrechwydd.

Dau gefndir sydd iddo ; maes y drin yw'r cyntaf, y llall yw ei lys a'i neuadd. Yma, etifedd hen deyrnas ydyw, ac atgofion am ei dad a'i daid o'i gwmpas yn symbyliad iddo. Ond y mae hefyd yn dad, yn ben teulu, a'i blant yn lliaws o gylch ei gadair. Felly saif y Tywysog ynghanol y cenedlaethau, yn etifedd, yn gynheiliad, yn draddodydd. Trwy'r disgrifiad oll dyd Taliesin bwyslais ar foesau traddodiadol, hir-sefydlog y brenin a'i gartref, ei foesgarwch tuag at ddieithriaid, gwyleidd-dra a seremoni ei lys, cyfiawnder a llarieidd-dra ei ddeddfau, haelioni ei fwrdd, cwrteisi ei wleddoedd, ei groeso i feirdd a cherddorion. Darlun yw hwn a gyfansoddwyd yn wyneb her a bygwth y dinistrwyr, a chymhellwyd Taliesin i bortreadu'r tywysog Cymreig yn arbennig fel ceidwad,

> Angor gwlad,
> Diffreidiad gwlad,

11

ar unwaith yn cynnal ac yn amddiffyn breintiau tradd-
odiadol.

Felly y creodd Taliesin un o deipiau hynod llenydd-
iaeth, ac mor amserol a mawrfrydig oedd y portread,
mor drwyadl farddonol ac mor arbennig Gymreig, fel
yr aeth darlun Urien yn batrwm ysgolion y beirdd ac
yn sylfaen ein traddodiad llenyddol. Canys yn yr
unfed ganrif ar ddeg, pan ddaeth perygl y Norman i
fygwth Cymru o newydd, a chodi yn y Gogledd deulu
o dywysogion cedyrn i amddiffyn eu pobl, cafwyd yn
narlun Urien ffynhonnell ddihysbydd i farddoniaeth.
Gwnaethpwyd portreadu'r Tywysog fel Ceidwad yn brif
orchwyl prydydd, taflwyd ymaith bob gorchwyl a allai
gystadlu ag ef, a thro ar ôl tro ceir gan feirdd y ddeu-
ddegfed ganrif a'r drydedd ganrif ar ddeg, nid delfryd
Taliesin yn unig, eithr hefyd ei ansoddeiriau, ei ffigurau
mawrion, ei eryr, ei lew, ei " angor gwlad ", ei " ddinas
pellennig ", a'i gymariaethau grymus. Chwedl Pryd-
ydd y Moch, " dull Taliesin " yw sylfaen yr awdl
Gymraeg, ac yn y bymthegfed ganrif cydnabu Guto'r
Glyn mai'r un ffynhonnell oedd i foliant yr uchelwyr :—

> Tlos fu anrheg Taliesin,
> talodd fawl teuluaidd fin,
> euro gynt a orug ef
> Urien gathl, eirian goethlef ;
> hwyliodd â'i gerdd, hylwydd goel,
> hyd lys Urien hoedl Seirioel,—
> af finnau, taliadau teg
> â'r unrhyw eiriau anrheg.

Beirdd y Tywysogion

NID esiampl nac enwogrwydd Taliesin yn unig a barodd i feirdd y ddeuddegfed ganrif ymroddi i'w ddilyn ef yn eu disgrifiadau o'r tywysog. Yn union y math hwn o ddisgrifio oedd gorchwyl pwysicaf barddoniaeth ddysgedig, hynny yw barddoniaeth Ladin, drwy Ewrop yn y cyfnod. Yn ôl Mathew o Fendom (Matheus Vindocinensis) beirniad llenyddol enwocaf y ganrif ac athro ym mhrifysgol Orleans, sef yr ysgol a oedd yn ganolfan efrydiau rhetoreg a gramadeg, disgrifio personau oedd prif swydd bardd. Dywed Edmond Faral, yr ysgolhaig a roes inni destun yr *Ars Versificatoria* gan Fathew ac esboniad arno :—" Oddi wrth helaethrwydd ei astudiaeth ef ohono a'i fanyldeb yn trin yr egwyddorion, nifer a maint ei enghreifftiau, eglur yw yr ystyriai Mathew mai disgrifio personau oedd pennaf gorchwyl barddoniaeth. Rhaid ystyried ei draethawd yng ngolau'r disgrifiadau di-rif a geir yn llenyddiaeth ail hanner y ddeuddegfed ganrif ; ac y mae traethawd Mathew yn bwysicach hefyd yn gymaint â bod cysylltiad agos rhyngddo ac ysgolion mawr Orleans lle y buasai'r awdur unwaith yn efrydydd ac wedyn yn athro ". Yn ôl Mathew dau fath o ddisgrifio oedd, sef clod neu foliant (*laus, praeconium*) a dychan (*vituperium*) ; ond y cyntaf yw'r math anrhydeddusaf o ddigon ganddo. Felly, wrth iddo ddisgrifio person, swydd y bardd yw clodfori rhinweddau'r dosbarth y perthyn y gwrthrych iddo ; nid disgrifio'r unigolyn, eithr y teip neu'r dosbarth.

Yng Nghymru, mewn rhan efallai oherwydd hir ysgariad y wlad, wedi diflannu llywodraeth Rhufain, oddi wrth weddill cyfandir Ewrop, mewn rhan oherwydd hynafiaeth cerdd Gymraeg a'r gamp a fuasai arni'n fore, Cymraeg ac nid Lladin oedd "barddoniaeth ddysgedig". Ni wyddom ond ychydig iawn eto am gysylltiad ysgolion y beirdd yng Nghymru ag ysgolion rhetoreg y cyfandir, ond y mae'n ddiddorol sylwi mai'r cyfnod a welodd sefydlu ysgolion Chartres, Orleans, Paris, lle y dysgid rhetoreg, gramadeg a rhesymeg, a welodd hefyd adnewyddu a ffynnu anghyffredin ar ysgolion y beirdd Cymraeg. Fe'm gelwir, ebr Cynddelw amdano'i hunan

Yn brydydd, yn brifardd dysg,

a thrwy ei waith oll ceir llinellau lawer sy'n awgrymu awyrgylch a chefndir ysgol debyg i'r ysgolion rhetoreg a ddisgrifir gan Ieuan Salsbri, a sôn am ymryson a chystadlu a phrofi a beirniadu a barnu a gorchfygu, yn gyffelyb i'r modd y byddai ysgolheigion megis Abelard ym Mharis yn dadlau eu ffordd drwy'r "wers ymryson" yn nosbarthiadau'r ysgolion, nes ennill enw a hyder i ymryson yn gyhoeddus a gorchfygu a mynd eu hunain yn y diwedd i gadeiriau'r beirniaid a'r athrawon. Y mae o leiaf un darn o waith Cynddelw yn awgrymu y gwyddai ef am ddulliau'r "wers ymryson" yn yr ysgolion clerigol. Nid yw hynny'n rhyfedd ychwaith pan gofiom mai bardd o Bowys ydoedd ac iddo ddechrau ar ei yrfa mewn cyfnod pan oedd cynghrair a chyfathrach rhwng Madog ap Maredudd, tywysog Powys, a brenin Lloegr, a chyfle anghyffredin felly i fudiadau'r Cyfandir dreiddio i Gymru. Gwyddys hefyd fod un ysgol retoreg enwog dan nawdd Adda, esgob Llanelwy, yn ffynnu yn Wolverhampton, nid nepell o Bowys, yn ail hanner y ddeuddegfed ganrif.

Prydyddion, penceirddiaid, athrawon, dyna'r enwau a hoffai beirdd y ddeuddegfed ganrif a'r drydedd ar ddeg

14

eu rhoi arnynt eu hunain. Fel yr ymfalchïai athrawon yr ysgolion mynachaidd yn eu hastudiaeth o'r ysgrythurau canonaidd, felly'r beirdd Cymraeg yn eu "canon cerddorion" a'u "barddrin", ac ystyr "barddrin" yw nid rhyw gyfrinion tywyll, derwyddol, eithr dysg draddodiadaol ac athrawiaeth ysgol. Bydd yn dda inni sylwi ar bwynt arall hefyd ynglŷn â hyn. Heddiw gwelir beirniaid yn eu cais i werthfawrogi'r hen feirdd yn dewis i'w canmol yn arbennig rai fel Hywel ab Owain Gwynedd, Owain Cyfeiliog a Gruffudd ab yr Ynad Coch, a ganodd ambell awdl yn llawn teimlad personol, nid annhebyg i farddoniaeth oesoedd diweddar. Eithr nid y rheini yw'r enwau clodfawr yn y cyfnod cyn colli'r traddodiad llenyddol. Yn nhraddodiad y beirdd am ganrifoedd safai dau enw goruwch pob enw arall o blith prydyddion y tywysogion, sef Cynddelw yn y ddeuddegfed ganrif a Dafydd Benfras yn y drydedd ar ddeg. Pam ? Gŵyr y neb a fu mewn ysgol neu goleg a hen hanes a thraddodiad yn perthyn iddo, fel y bydd cof am athro o bersonoliaeth anghyffredin yn aros yno'n hir wedi ei farw, a hynny oblegid bod method a delfrydau'r athrawon a ddilynodd yn dwyn am byth nodau'r bersonoliaeth honno. Felly yn y traddodiad llenyddol Cymraeg ceir digon o arwyddion mai Cynddelw oedd y meistr mawr a reolodd amcanion barddonol y cyfnod, ac ar ei ôl ef syrthiodd ei fantell awdurdodol ar Ddafydd Benfras, un tawelach, addfwynach, ond un a oedd yntau'n ymgorfforiad o ddelfrydau'r ysgolion.

Efallai y gellir mentro dyfalu sut gymeriad oedd gan Gynddelw. Yr oedd yn fardd ifanc ym mlynyddoedd olaf Madog ap Maredudd, tywysog Powys a fu farw yn 1160. Nid oedd fel llawer o feirdd ei gyfnod yn fab bardd, ac edrychid gyda pheth eiddigedd ar ei anturiaeth ef i'r alwedigaeth. Ond yr oedd Cynddelw yn wrol, yn filwr da mewn rhyfel ac yn filwr hefyd yn

15

ei alwedigaeth ac yn eisteddiadau'r beirdd, yn dadlau, yn cystadlu, yn herio'n groch a beiddgar, ac yn dal ei dir a gorchfygu. Yr oedd ganddo bresenoldeb hardd, yr oedd yn ymwybodol o'i nerth, fe'i ganed yn feistrolwr, ac nid arbedai ymffrost :

A mi, feirdd, i mewn, a chwi allan !

Fel yr aeddfedodd tyfodd ei feistrolustra yn feistraeth, cydnabyddid ef yn ben ei alwedigaeth, yn brif athro, a daeth yn naturiol yn brifardd Gwynedd pan symudodd arweiniad gwleidyddol Cymru o Bowys yno. Canodd am dymor hefyd yn llys yr Arglwydd Rhys yn Neheu-barth, a gorffennodd ei yrfa yn hen ŵr yn clodfori buddugoliaethau cynnar Llywelyn ab Iorwerth yn y Gogledd. Ni hoffai deithio, carai ddiogelwch ei gadair pencerdd yn y llys, priododd a chafodd fab a fu farw o'i flaen. Fel yr heneiddiai deuai'r tynerwch dwfn a'r duwioldeb syml oedd ynddo'n amlycach, a thorrodd ei hiraeth ar ôl ei fab allan mewn ychydig linellau cynnil, dwys. Carai dri pheth yn fwy na dim arall, ei deulu, Powys ei wlad ei hun, a'i alwedigaeth. Hen Gymro trwyadl iawn oedd Cynddelw ; byddaf yn meddwl ein bod ni a welodd y diweddar John Morris-Jones wedi gweld un tebyg ddigon iddo, yn enwedig yn ei gyfuniad o symlrwydd cymeriad plentyn â thrylwyredd ffyrnig ei ymroddiad i'w gelfyddyd.

Er mwyn deall y gelfyddyd hon rhaid dal yn gadarn yn y ffaith mai telynegol a disgrifiadol oedd canu'r Gogynfeirdd. Eithriadau hollol yw cael ganddynt na hanes na datblygiad syniadau na chân ddidactig na dadl barhaol o unrhyw fath. Pan gyfieithid hanesion neu chwedlau o farddoniaeth Ffrangeg i Gymraeg, i ryddiaith y trosid hwynt bob tro. Erbyn diwedd yr unfed ganrif ar ddeg yr oedd llwybr barddoniaeth y pencerdd wedi ei dorri mor ddwfn a phendant fel yr oedd *moliant* a *chlod* yn eiriau cyfystyr â barddoniaeth. Erbyn hynny hefyd yr oedd arddull y penceirddiaid hithau wedi ei gosod yn ddiogel yn ei chwrs. Ni wnaeth beirdd y ddwy ganrif nesaf ond ymroddi drwy efrydiau trwyadl i ddatblygu moddau'r arddull honno a dwyn i'r golau a chwblhau pob posibilrwydd cuddiedig a berthynai iddi.

Cymerwn enghraifft o'r canu hwn. Wele englyn a sgrifennodd Cynddelw tua 1196 i Wenwynwyn, tywysog ym Mhowys :

> Dinas teÿrnas tëyrn orun—torf
> Twrf aches anoddun,
> Rhwyf ddragon rhoddion rheiddun,
> Rheiddrudd roddiad rwyddrad Run.

Y mae golwg ddyrys ar y pennill. Ymddengys y geiriau'n ddieithr. A gwir yw bod rhai ohonynt yn ôl pob tebyg yn eiriau meirw o safbwynt iaith lafar a rhyddiaith yn oes Cynddelw ei hun. Gyda chymorth ysgolheigion gellir eu hesbonio fel hyn : dinas=caer, orun = brwydr, aches = llifeiriant, anoddun = dwfn, rhwyf = arweinydd, rheiddun = disglair, rheiddrudd = coch ei wayw (gan waed), rhwyddrad = parod ei rodd, Rhun = enw ar hen dywysog Brythonig. Wedi egluro'r geiriau fel hyn fe sylwir ar un ffaith go hynod, sef bod pob un ohonynt yn enw neu'n ansoddair neu'n gyfuniad o enw ac ansoddair. Nid oes un math arall o air yn yr englyn ; ni cheir na bannod na rhagenw nac arddodiad na chysylltair na hyd yn oed ferf. Felly er esbonio ohonom y geiriau unigol yn yr englyn, erys y cwbl ynghyd bron mor anodd â chynt. Gellir dychmygu amdanom yn cwyno wrth Gynddelw : Wele ni'n deall ystyr pob gair, ond beth yw ystyr yr englyn ? P'le mae'r ferf, y cysyllteiriau a'r arddodiaid ?

CYNDDELW : Pa raid imi wrthynt ?

NINNAU : Hebddynt ni all fod cystrawen mewn brawddeg.

CYNDDELW : Hynny yw ?

NINNAU : Ni all fod trefn ?

CYNDDELW : Hynny yw eto ?

NINNAU : Ni all fod ystyr ?

CYNDDELW : *Cenwch* yr englyn, ac ailbwyswch.

Cystrawen = trefn = ystyr ; dyna un o ddirgelion iaith. Gwybu'r Gogynfeirdd hynny i'r dim, a rhaid cydnabod hynny er mwyn canlyn eu meddwl. Cofier yr hyn y rhoddwyd cymaint pwys arno o dudalen cyntaf y llyfr hwn hyd yn awr, sef mai athrawon ac athrylithoedd cryf mewn ysgolion oedd y penceirddiaid a'u bod flwyddyn ar ôl blwyddyn am genedlaethau gyda'i gilydd yn manwl-chwilio a dadansoddi natur iaith a'i rhinweddau a'i chymwysterau. Arbenigwyr oeddynt ac iaith oedd rhan o ddeunydd eu hymchwil.

Yn awr, y drefn a ddyd cystrawen ar eiriau, trefn ddeallol yw hi, trefn sy'n bodloni rheswm haniaethol dyn. Pan fyddom wedi ymgodymu gyda brawddeg ac o'r diwedd wedi setlo pa beth a arwydda pob gair pwysig ac wedi deall hefyd gystrawen y frawddeg, sef y we y mae'r geiriau bychain, diarwydd ynddynt eu hunain (arddodiad, bannod, cysylltair) yn ei gweu o gwmpas y cwbl, yna daw i'r meddwl yn sydyn fodlondeb ac esmwythâd,—y mae'r pos wedi ei ddatrys, yr ydym wedi gafael yn y ffeithiau ac wedi sylweddoli eu cysylltiad

18

â'i gilydd ; yr ydym yn *deall* y frawddeg. Unwaith eto yr ydym yn ddedwydd sicr fod y byd yn rhesymol a bod trefn ac ystyr yn llywodraethu mewn amser a lle. Hynny yw, camp rhesymeg yw cystrawen.

A dyna ddigon i ddangos mai i *ryddiaith* y perthyn cystrawen. Gorchwyl rhyddiaith yw bodloni'r rheswm haniaethol. Rhyddiaith sy'n trin geiriau fel arwyddion syniadau. Mewn rhyddiaith y mae meddwl. I ryddiaith y perthyn athronyddu a dysgu, sef rhoi trefn ar haniaethau. I ryddiaith y perthyn adrodd hanes, sef rhoi trefn foddhaol ar ddigwyddiadau gwrthrychol. I ryddiaith y perthyn adrodd chwedl, sef rhoi trefn resymol ar ffansïau a breuddwydion. Ac offeryn hanfodol trefn rhyddiaith yw cystrawen.

Eithr peth i'w ganu oedd pennill gan bencerdd. Cenid ef gyda'r delyn. Cerdd dafod ydoedd. Nid i fodloni'r rheswm haniaethol y bwriadwyd hi o gwbl, eithr i ddiddanu synnwyr y glust, ac " o'r glust i'r galon ". Gan hynny, os bwriwyd oddi ar gerdd dafod bob baich priodol i ryddiaith, megis athronyddu a dysgu ac adrodd hanes, yna iawn oedd hefyd fwrw allan o gerdd dafod yr elfen honno mewn iaith oedd yn hanfodol ryddieithol, sef cystrawen. Dyna nod amgen iaith farddonol y Gogynfardd. Hynny, yn fwy hyd yn oed na'i geirfa ddieithr, sy'n ei phellhau'n llwyraf oddi wrth iaith yr hanesion a'r rhamantau cyfoes. Iaith ddigystrawen oedd iaith ddelfrydol cerdd dafod. Diau fod yn amhosibl, oherwydd natur meddwl dyn, fwrw cystrawen allan o bob pennill mor gyfan gwbl ag y gwnaeth Cynddelw yn yr englyn uchod. Ond hynny oedd nod y pencerdd yn gyson. Mynnai beidio â thrin iaith fel arwydd pur i'r meddwl, eithr ei chadw yn wrthrych pur i'r synnwyr.

19

Yr un egwyddor sy'n egluro natur ei eirfa. I'r awdur rhyddiaith, i mi er enghraifft sy'n sgrifennu'r para- graffau hyn, nid yw gair ynddo'i hunan odid ddim. Nid wyf yn ceisio creu moseic prydferth o gwbl, ond yn ceisio egluro cwrs meddwl beirniadol a haniaethol. Felly rhaid imi gysylltu pob gair â geiriau eraill mewn brawddeg gystrawennol cyn y daw i unrhyw un y gwerth a rydd ystyr iddo. Ond i'r Gogynfardd y mae gair yn bennaf yn wrthrych synhwyrus ac iddo ddogn trwm o werth esthetig diamod. Sain ydyw. Nid arwydd, ond peth, megis gem neu liw neu sain a drewir ar dant. Gan hynny y mae gwerth esthetig geiriau yn dibynnu i raddau go helaeth (1) ar eu prinder neu allu i'n synnu a'n swyno drwy anghynefindra ; (2) ar y teimladau a gyffroant ynom drwy ein hadnabyddiaeth flaenorol, ein profiad ohonynt.

Geill gair fod yn brin yn gyntaf oblegid ei fod wedi peidio â'i arfer ar lafar. Rhydd ei hynafiaeth arbenig- rwydd arno, ac yn union oblegid nas defnyddir gan bobl fel arian bath i gyfnewid syniadau angenrheidiol, troir ef yn grair, yn " air addurn ", yn degan swynol i'r glust. Y mae beirdd er amser Aeschylus yn fyw i swyn soniarus geiriau meirwon, ond penceirddiaid Cymraeg y ddeuddegfed ganrif a'u prisiodd hwynt uchaf o neb erioed.

Ail ddull o brinhau a thecáu iaith yw creu geiriau newydd. Gwir na ellir yn aml lunio sillafau hollol newydd a chwbl ddiystyr. Ac eto fe ellir weithiau, fel y gwelodd Ceiriog, a bydd ganddynt gyfaredd barddoniaeth. Ond gellir cymryd dau hen air a'u clymu ynghyd yn air newydd cyfansawdd. Profasai'r iaith Gymraeg ers canrifoedd ei haddasrwydd i'r fath ddyfais, ond y Gogynfeirdd a ddatguddiodd lawn gyfoeth yr wythïen hon yn ein hiaith. Er nad eu darganfyddiad hwy oedd y gair cyfansawdd, a'i fod ef yn wir cyn hyned â'n barddoniaeth, eto teg yw dweud mai hwynt-hwy a'i gwnaeth ef yn rhan hanfodol o dechneg cerdd dafod. Lluniodd Cynddelw o leiaf unwaith air cyfansawdd allan o dri gair unigol :

Ysid im arglwydd *eurgleddyfrudd* gawr.

At hynny y mae arfer y beirdd hyn o glymu enwau ynghyd mewn un bar o linell a than un brifacen, yn ddull arall ar y gair cyfansawdd. Er enghraifft, yn yr englyn uchod gan Gynddelw y mae'r ddeuair " rhwyf ddragon ", pan ganer yr englyn, yn air cyfansawdd ac yn undod yn yr un modd ag yw " rheiddrudd ". Ond sylwer, canys y mae'n bwysig, mai method cerddorol o gyfansoddi geiriau newydd yw hwn. Geilw y gramadegwyr ef yn " gydosodiad ", ond yr hyn a wna ddau air a osodir felly ynghyd yn gyfwerth â gair cyfansawdd yw eu bod wedi eu *clymu mewn un bar o fiwsig*.

Rhywbeth y gellir ei wahaniaethu, er nad ei wahanu, oddi wrth ystyr noeth gair, a'i drin fel rhan o werth esthetig gair, yw'r hyn a elwir o hyn ymlaen wrth y term Lladin *aura*. Apêl gymhleth gair i'r synnwyr ac i'r teimlad yw ei *aura*. Bron na wnâi'r gair Cymraeg " rhin " y tro i'w gyfieithu. Geill gair fod yn soniarus i'r glust ; geill fod yn bert i edrych arno ar bapur ; dyna elfennau yn ei rin. Ond daw'r *aura* yn arbennig o gysylltiadau gair, o'r cof sy gennym am ei glywed o'r blaen mewn amgylchiadau pwysig. Felly bydd gair wrth ei godi o newydd yn dwyn i'w ganlyn sawyr ac olion hen brofiadau atgofus. I Daliesin yn y chweched ganrif codai *aura* gair yn bennaf o'i gysylltiadau â bywyd ymarferol pob dydd. Er enghraifft, yn yr awdl a ddyfynnwyd yn ein pennod gyntaf ceir y llinell :

O daw ymgyfarfod am garennydd.

21

Eglur yw mai'r gair *carennydd* yw'r brif allwedd i deimlad yr awdl. Dyna'r gair sy'n goleuo angerdd y gerdd, sy'n esbonio ei dwyster dramatig, a hynny oherwydd bod y gair yn cysylltu'r gân ag atgof am y pethau pwysig ym mywyd personol y Brython yr ymladdai ef trostynt, ei deulu, ei wely, ei hendref. Felly allan o fywyd ymarferol y cymer " carennydd " ei *aura*, a thaena ei rin dros yr awdl gyfan. Yn hynny o gynneddf odid nad yw Taliesin yn agosach atom ni nag yw penceirddiaid y ddeuddegfed ganrif a'r drydedd ar ddeg. Canys iddynt hwy llenyddiaeth a roddai fwyaf o *aura* i'w geirfa, " hengerdd ac ystoriâu ysgrifenedig."

Yn bennaf, hengerdd. Os oedd yn hoff gan y Gogynfeirdd hen eiriau meirwon, hoffusach oedd ganddynt eiriau a warantesid ac a ardderchogwyd drwy eu defnyddio yn " hengerdd yr hen brydyddion ", enwau ac ansoddeiriau a chymariaethau a throsiadau a enillasai gyfoeth a llawnder drwy eu bod yn atsain ar atsain o awdlau Aneirin a Thaliesin a'u dilynwyr. Yr oedd dysgu hengerdd, hynny yw canu cynnar y Gymraeg, yn rhan hanfodol o addysg prydydd, ac atseinio arddull hengerdd oedd yr addurn gorau ar ei bennill ei hun. Felly yn yr englyn a ddyfynnwyd o waith Cynddelw y mae pob llinell yn llawn cyfeiriadau at yr hengerdd. Yn enwedig y mae'r metafforau a'r cymariaethau yn draddodiadol. Oddi wrth Daliesin y daw " dinas teyrnas ", ceir " dragon yng ngwyar " yn y *Gododdin*, a cheir yno hefyd linellau megis :

> Twrf tân a tharan a rhyferthi . . .
> Tebyg môr lliant ei ddefodau . . .

y'n hatgoffir amdanynt gan linell Cynddelw :

> Twrf aches anoddun.

22

Dywed yr Athro Ifor Williams wrthyf nad oes brin air yn llyfr Aneirin nas ceir ef yng ngwaith Cynddelw. Hoff oedd gan Ddafydd Benfras yn y drydedd ganrif ar ddeg roi ei ganu ei hun dan nawdd yr hengerdd. Gweddïai am ddawn :

> I ganu moliant mal Aneirin gynt
> Dydd y cant Ododdin.

Ei glod pennaf i'w dywysog yw :

> Mi i'm byw be byddwn ddewin
> Ym marddair mawrddawn gysefin,
> Adrawdd ei ddäed aerdrin—ni allwn,
> Ni allai Daliesin.

ac os dyd ef ei ragflaenydd yn yr un llinach â'r mawrion hyn :

> Ar ddull llawnoed y dywedaf,
> Arglwydd fal Cynddelw a gynhaliaf,

hydera y dodir yntau hefyd yn yr unrhyw olyniaeth :

> A genais a genir wedi.

Bod ei "farddair" wedi ei drwytho yng ngeirfa'r traddodiad a rydd ei ogoniant iddo ym marn y pencerdd.

Ail dosbarth o eiriau a chanddynt *aura* arbennig oedd enwau arwyr ac enwogion yr "ystoriâu ysgrif-enedig", cymeriadau mewn hanes a rhamant a thradd-odiad, Arthur, Owain, Cunedda, Alecsander, Ercwlff, Echdor. Felly yn ein henglyn enghreifftiol gelwir Gwenwynwyn yn Rhun, ac wele enghraifft o'r dull mewn marwnad merch gan un o'r olaf o'r Gogynfeirdd ac un o'r mawrion, Gruffudd ap Maredudd :

Och o'r gyfranc gweled oerdranc gwyliaw Derdri,
Och o'r golled am ail Luned, em oleuni.

Wedi inni ddisgrifio fel hyn brif egwyddorion iaith y Gogynfeirdd, erys eto bwnc hanfodol ynglŷn â'u celfyddyd i'w drafod. Ceisiasom egluro techneg rhyddiaith drwy'r fformwla, cystrawen = trefn = ystyr. Yn awr eglur yw bod yn rhaid i farddoniaeth hefyd gadw un o'r termau hyn. Ni all barddoniaeth fwy na rhyddiaith fod yn ddi-drefn. Nid yw rhes o "farddeiriau" wedi eu cydosod heb ddewis na chynllun yn farddoniaeth, neu byddai geiriadur yn delyneg. Felly os amcanodd y penceirddiaid fwrw cystrawen ac ystyr haniaethol allan o fyd barddoniaeth, rhaid oedd iddynt gael rhyw elfen lywodraethol i lenwi eu lle. Arweinia'r broblem hon ni'n syth at gamp uchaf ac ardderchocaf prydyddion y ddeuddegfed ganrif a'r drydedd ar ddeg.

Uned rhyddiaith yw'r frawddeg. Uned barddoniaeth yw'r llinell neu'r pennill. Ar honno y clymodd y penceirddiaid eu sylw yn gyfan gwbl. Wele eu problem : trwy ddyfais cystrawen y mae pob gair mewn ymadrodd cyflawn o ryddiaith yn rhan hanfodol o'r frawddeg ac yn cael ei le ynddi fel na ellir mo'i newid heb ddrysu trefn ac ystyr y frawddeg oll. A oes rhyw offeryn a gyflawna orchwyl cyffelyb mewn llinell o farddoniaeth, fel y byddo pob gair yn hanfodol a phob gair yn anghyfnewidiol yn ei briod le ? A ellir rhoi trefn mor anorfod ar y llinell ag a ellir ar y frawddeg ryddiaith ?

Mewn dwy ganrif o efrydiau ac o arbrofion diflino, mewn ymdrech i ddatrys y broblem hon, gweithiwyd allan sistem cynghanedd gaeth barddoniaeth Gymraeg. Dyna gamp y Gogynfeirdd.

Fel hyn y bu. Penderfynir lle gair mewn brawddeg

gystrawennol drwy ddarganfod perthynas resymegol gair â geiriau eraill. Natur haniaethol, ddeallol gair a gyfrifir mewn cystrawen. Ond " gwerth " gair sy'n bwysig mewn barddoniaeth, a dangoswyd bod gwerth gair i'r pencerdd yn dibynnu ar ei sain ac ar ei *aura* yn gystal ag ar ei arwyddocâd. Mewn termau eraill, rhywbeth i'r glust ac i'r teimlad yw gwerth iaith mewn barddoniaeth. Yn awr, pan hoelir sylw ar y wedd hon ar iaith, fe glywir, pan rodder geiriau ynghyd i'w canu, fod iddynt rithm. Peth cynhenid mewn iaith yw rhithm. Trwy gaethiwo rhithm, trwy roi trefn a chynllun arno, lluniwyd mydr. A'r hyn a fynegir ac a bwysleisir gan fydr ydyw " gwerth " geiriau. Geilw mydr eiriau at ei gilydd ym meddwl y bardd drwy eu perthynas seiniol i'w gilydd a'u perthynas deimladol. Prawf o'r gwir awenydd ydyw bod mydr yn awgrymu iddo eiriau i'w clymu ynghyd sy'n ymddangos yn wyrthiol briodol ac eto'n annisgwyl, yn iawn ac yn rhyfedd. Gan hynny, os fformwla rhyddiaith bur yw

$$\text{cystrawen} = \text{trefn} = \text{ystyr,}$$

fformwla barddoniaeth bur yw

$$\text{mydr} = \text{trefn} = \text{gwerth.}$$

Wrth gwrs, " amhur " yw bron pob barddoniaeth. Hynny yw, fe ddefnyddia foddau a threfn rhyddiaith yn gystal â moddau barddoniaeth, a rhaid rhoi'r ddwy fformwla gyda'i gilydd i ddisgrifio crynswth canu'r gwledydd. Arbenigrwydd y Gogynfeirdd oedd iddynt ymdrechu i sylweddoli barddoniaeth " bur ". Trwy hynny darganfuont nad oedd trefn mydr, hyd yn oed pan gryfhawyd hi â holl ddyfeisiau a datblygiadau cytseinedd ac odl a " chymeriad " fel yr etifeddwyd hwynt oddi wrth y cynfeirdd, ddim yn ddigon i glymu geiriau mewn llinell mewn gwe anorfod hollol. Nid oedd rheolau cytseinedd na chymeriad yn gaeth. Defnyddid hwynt i helpu a phwysleisio mydr ac i ychwanegu drwy gydosodiad at werth geiriau unigol. Ond nid oedd y dyfeisiau hyn namyn achlysurol a mympwyol i raddau. Ymroesant hwythau i'w troi'n gyfundrefn gyflawn. Yng ngeiriau John Morris-Jones : " Nid oedd yn rhaid dechrau cytseinedd yn nechrau llinell na'i chario i ddiwedd bar na llinell. Yn aml ni cheid ond un cyffyrddiad ysgafn o gyfatebiaeth. Ond yng nghyfnod y Gogynfeirdd fe aeth y beirdd i ddefnyddio cyfatebiaethau fwyfwy ; yr oedd yn rhaid eu cael ym mhob llinell a'u cael yn helaeth ; dechreuwyd dethol y cyfuniadau mwyaf effeithiol a pherffeithio'r rheini ; ac fel yna o gynghanedd rydd yr hen gyfnod y tyfodd cyfundrefn y gynghanedd gaeth ".

Y peth pwysig yw bod cynghanedd gaeth yn drefn gyflawn, anorfod, mor gyfan ac mor wyddonol yn ei maes ei hun â threfn cystrawen mewn rhyddiaith. Rhydd i bob gair mewn llinell ei briod anochel le, rhydd i bob bar gysylltiad organaidd â phob bar arall. Mwy na hynny, trwyddi hi y mae " gwerth " y llinell yn llawer mwy na chyfanswm gwerthoedd pob gair unigol. Darllener eto englyn Cynddelw gan sylwi ar ei gynghanedd a'i aceniad

> Dínas | teýrnas | tëyrn órun | —tórf, |
> Twrf áches | anóddun,
> Rhwyf ddrágon | rhóddion | rhéiddun,
> Rhéiddrudd | róddiad | rẃyddrad | Rún.

Y mae'r symudiad yn fawreddog a boddhaol. Ond dwywaith y mae'r cyfatebiad cytseiniol ar sillafau diacen, sef *teyrn* a *twrf*. Y canlyniad yw bod dau air pwysig yn yr englyn yn gorfod dibynnu ar eu gwerth

26

unigol eu hunain i'w cyfiawnhau, sef *orun* ac *aches.*
Trawant y glust â'r syndod sy'n angenrheidiol i farddon-
iaeth fawr, ond nid â'r boddhad sy'n ddymunol gyda
hynny. Byddai'n bosibl eu newid. Enghraifft yw'r
pennill o gyflwr cynnar ar gynghanedd gaeth.

Darllener englyn gan un o'r olaf o'r Gogynfeirdd :

    Haul Wynedd neud bédd, nid býw—unbénnes
      Heb ýnnill ei chýfryw,
    Henw gorhóffter a ddéryw,
    Hoen lloér hun oér heno ýw.

Dacw y gadwyn yn gyfan, a chyfanrwydd y drefn yn
chwyddo â'i werth ei hun werth pob gair unigol. Yma
fe sefydlwyd cynghanedd, nid ar siawns gyfatebiaethau,
ond ar hanfod mydr, sef aceniad. Miragl cynghanedd
Gymraeg, nid rhywbeth a osodir drwy ryw *hap* ryfedd
ar iaith ydyw, eithr trefn wyddonol yn golaufynegi
yr hyn sy'n hanfodol mewn mydr ac yng ngwerthoedd
geiriau. Sylwer hefyd fod cymeriad ac odl yn rhan
hanfodol o'r gynghanedd hon, yn gymaint â'u bod hwy'n
clymu'n ddiogel yn y gyfundrefn y geiriau diacen a
allasai hebddynt fod yn rhydd ; haul -heb -henw -hoen.

Rhag bod eto'n aros, i feddwl ambell ddarllenydd
anghyfarwydd, ychydig ddieithrwch yn yr arddull
ddigystrawen hon, ceisiwn ddangos (os gellir ar bapur)
sut y mae gwerthfawrogi'r llinell olaf yn yr englyn
uchod. Peidied neb â cheisio'i chyfieithu i ryddiaith.
Fel y dywed M. Vendryes yn briodol iawn : " Ni ellir
cyfieithu canu'r Gogynfeirdd. Canys trwy ei gyfieithu
rhoddir arno o anghenraid hualau rhesymegol hollol
groes i'w natur ". Gwelwn felly fod y ddeuair " hoen
lloer " yn portreadu harddwch y rhiain farw yn union
fel " haul Wynedd " a " henw gorhoffter ", ond eu bod

27

hefyd mewn perthynas arbennig â " haul Wynedd ". Yn gyntaf y maent fel dau ddarlun gyferbyn â'i gilydd, a gwelwn y ferch yn yr haul ac yn y lloer, yn gyflawn o harddwch y dydd a harddwch y nos. Yn ail, y mae'r drefn yn fwriadol, o'r dydd i'r nos. Daw'r ail ran, " hun oer ", yn ddisgwyliedig bellach ac y mae awgrym o dduwch yn y gair " oer " mewn hen Gymraeg yn gystal â thristwch. Pan ddeuwn at y bar olaf yn y llinell yr ydym wedi ein paratoi mewn modd dyblyg ar gyfer y gair " heno " : rhaid i'r gynghanedd sain wrtho, a rhaid i'r secwens brudd wrtho,—lloer, hun, heno. Efallai mai'r gair " yw " sydd ryfeddaf. Y mae yma'n gwbl ddiystyr, ni ellir ei ddehongli gan mai arwydd cystrawennol pur ydyw, ac nid yw'r frawddeg hon ar ddull cystrawen ddim. *Sain* bur felly yw'r "yw" hwn, yn bodloni'r glust â'i hodl drom, ddiptonaidd. Ei diffyg o bob cynnwys, hynny'n union yw ei gwerth, gan y terfynir yr englyn mewn diddymdra atseiniol, gwag, simbol briodol marwolaeth.

Oblegid mai gorchwyl cynghanedd oedd disodli cystrawen mewn llinell, am hynny y ceir bod beirdd Cymraeg yn hir ar ôl cyfnod y Gogynfeirdd yn parhau'n achlysurol i anwybyddu rheolau cystrawen yr iaith lafar. Ond yn wrthwyneb i hynny dylid sylwi ar duedd arall. Fel y tyfodd cynghanedd gaeth yn y drydedd ganrif ar ddeg ceir bod tuedd yn y beirdd i sgrifennu (fel y dywedir weithiau) yn symlach. Hynny yw, ceir mwy o gystrawen ganddynt. Yr eglurhad ar hynny, gellir tybio, yw bod cynghanedd, a godwyd i fwrw allan gystrawen, wedi iddi ddyfod yn elfen weddol gyson mewn cerdd dafod, yn ymddangos yn ddigon ynddi ei hun i arwyddo natur farddonol, anrhyddieithol, iaith cerddi. Gan hynny, fe beidiodd cystrawen ei hunan â bod yn elyn. Gellid defnyddio rhagenwau, cysyllteiriau, arddodiaid a berfau yn ddi-ofn, gan fod y rheini hefyd drwy eu rhwymo yng nghyfundrefn cynghanedd yn derbyn cymeriad "gwerth". Felly ceir Dafydd Benfras yn sgrifennu llinell fel hon :

O mynnwch, chwerddwch, mi ni chwarddaf,

lle y mae'r cysylltair a'r rhagenw a'r adferf yn dwyn rhan fawr o bwys y llinell. Y mae'n wir hefyd fod tuedd yn niwedd cyfnod y Gogynfeirdd i ymadael â delfryd llym barddoniaeth "bur". Felly yr agorwyd y ffordd i ddatblygiadau pellach.

Y mae gennym ni heddiw gyfle gwell nag a fu i ddeall a gwerthfawrogi damcaniaethau a gwaith barddonol y Gogynfeirdd. Mewn oes y mae rhan mor helaeth o'i barddoniaeth hi, sy'n bwysig a chydwladol ei heffaith, dan deyrnasiad Mallarmé, Paul Valéry, a Gerard Hopkins yn Lloegr, ni all "anhawster" y penceirddiaid fod yn ddim oddieithr rhinwedd arnynt. Mwy na hynny, fe ddatblygodd y mudiad Simbolaidd mewn barddoniaeth yn Ffrainc ac yn yr Almaen ar linellau sy'n darawiadol debyg i ddamcaniaethau'r beirdd Cymraeg yn y ddeuddegfed ganrif. Nod a delfryd y ddwy ysgol yw barddoniaeth bur, *la poésie pure*. Ceir gan y Simbolyddion ar y cyfandir yr un difrawder ag a ddangosodd y Gogynfeirdd tuag at amrywiaeth testunau a diddordeb cynnwys. Ebr Paul Valéry : "I'r neb y bo gwaith barddonol yn wir bwysig ganddo nid yw gwreiddioldeb testun yn ddim. Gallaf synio am fardd a garo ei gelfyddyd o galon yn bodloni i ail-wneud drwy gydol ei oes yr un gân o hyd, gan gyhoeddi bob tair neu bedair neu bum mlynedd amrywiad newydd ar yr unrhyw bwnc." Ychwanegodd M. Valéry, "Barddoniaeth bur yn fy ystyr i yw barddoniaeth a fo wedi taflu allan ohoni holl elfennau rhyddiaith, popeth megis stori, rhamant, dysgeidiaeth, athroniaeth, y geill rhyddiaith

29

eu trin . . . . Ond fe ddengys profiad imi mai nod del-frydol ydyw'r fath farddoniaeth ac mai amhosibl bron yw ei gyrraedd mewn cân feithach na phennill ''.

A dyna'r feirniadaeth bwysicaf ar waith y Gogyn-feirdd. Y llinell neu'r pennill oedd uned eu canu a holl fater eu hymchwil a'u harbrofion a'u hastudiaeth. Yr hyn sy'n brin yn eu gwaith yw *Cân*. Ceir gan Hywel ab Owain Gwynedd awdlau serch sy'n delynegion cyfain. Yr oedd ganddo ef syniad cryf am rinwedd ffurfiol cerdd gyfan, orffenedig. Gwelir yr un rhinwedd ar rai o'r marwnadau, megis marwnad enwog Gruffudd ab yr Ynad Coch i'r tywysog Llywelyn ap Gruffudd. Ond y gwir am fwyafrif y pencerddiaid yw na thybient fod cynllunio cerdd o fewn terfynau mesuredig a'i gwneud yn unoliaeth drwyadl, yn rhinwedd barddonol o gwbl. Perffeithio uned barddoniaeth, nid llunio cân, oedd eu huchelgais. Mewn llinellau a phenillion gan amlaf felly y gellir eu mwynhau. Prin yw'r cerddi a gollai ddim pe gadewid rhannau ohonynt allan. Rhaid inni aros hyd at y bymthegfed ganrif cyn y cwyd ysgol gyffelyb o artistiaid a wna'r awdl gyfan yn uned i'w pherffeithio. Ac ni allesid hynny chwaith oni buasai am y Gogynfeirdd.

Rhyddiaith

PAN soniom ni Gymry am ein llenyddiaeth a'n traddodiad llenyddol, ein barddoniaeth a ddaw gyntaf i'n meddwl. Ond ped enwid llenyddiaeth Gymraeg wrth ysgolhaig yn Ffrainc neu'n yr Almaen, yr hyn a ddeuai gyntaf i'w feddwl ef fyddai'r rhyddiaith Gymraeg a sgrifennwyd yn y cyfnod o'r ddegfed ganrif hyd at y bedwaredd ar ddeg. Honno, ebr Emrys ap Iwan, yw'r " llenyddiaeth decaf a welodd Cymru ". Olrhain twf y tegwch hwnnw fydd tasg y bennod hon.

Ffaith sy'n wir arwyddocaol yw mai'r gwaith mawr cyntaf a gadwyd inni mewn rhyddiaith Gymraeg yw'r *Cyfreithiau*. Casglwyd, trefnwyd ac ysgrifennwyd y Cyfreithiau Cymreig tua'r flwyddyn 942 gan gynhadledd o ysgolheigion a lleygwyr a alwyd ynghyd gan Hywel Dda ac a osodwyd dan arweiniad " un ysgolhaig doethaf a elwid Blegywryd ", sef Blegywryd ab Einion, gŵr o Went. Mewn rhyddiaith yr ysgrifennwyd y Cyfreithiau hyn, ond y copi Cymraeg cynharaf sydd ar gael ohonynt heddiw yw'r copi yn y *Llyfr Du o'r Waun* a sgrifennwyd tua'r flwyddyn 1220. Ceir nifer o gopïau annibynnol a diweddarach na hynny ; amrywiant oll oddi wrth ei gilydd mewn trefn, mewn cynnwys ac mewn arddull, a dengys hynny fod golygu a chwtogi a helaethu a newid dibaid wedi bod arnynt ar ôl y ddegfed ganrif. Er hynny, erys rhyngddynt ddigon o gysondeb inni fedru mentro sôn ychydig, er heb feiddio manylu, am nodweddion arddull y *Cyfreithiau* yn y ddegfed ganrif, sef yn *Hen Lyfr y Tŷ Gwyn*, ac am bwysigrwydd y gwaith yn hanes ein llenyddiaeth.

31

Y Cyfreithiau Cymreig yw un o binaclau gwareiddiad yr Oesoedd Canol yn Ewrop. Ebr Mr. T. P. Ellis, " Hywel Dda a Blegywryd oedd esbonwyr mwyaf *jus gentium* a welodd y byd erioed ", ac felly y tystiolaethodd awdurdodau eraill ar y cyfandir. Yr hyn sy'n bwysig gennym ni yn awr yw bod y *Cyfreithiau* hefyd yn gampwaith llenyddol a luniodd, bid sicr, ddulliau byw a meddwl pob bardd a llenor a fu yng Nghymru hyd at yr unfed ganrif ar bymtheg, ond a effeithiodd hefyd yn uniongyrchol ar ffurf ac arddull rhyddiaith Gymraeg. Canys yr hyn sy bron yn anhygoel ynglŷn â'r *Cyfreithiau* yw eu bod mewn Cymraeg. Golyga hynny fod yr iaith eisoes wedi cyrraedd aeddfedrwydd athronyddol digyffelyb yn y cyfnod. Yn ôl Mr. Ellis, " dywed cyfreithwyr heddiw fod yn rhaid i ddefod fod yn hen, fod mewn grym, fod yn un a sicr a sefydlog. Ond nid felly er ys talm nac mewn cymdeithas a'i deddfau heb eu llunio. Felly pan gyfundrefner defodau, cwyd dau berygl. Un yw ffurfioli defod, peri bod yn amhosibl iddi dyfu. Yr ail yw gorfodi defod un ardal ar ardal arall er mwyn unffurfiaeth ". Bod y Cyfreithiau Cymreig wedi llwyddo i osgoi'r ddau berygl hyn yw'r mesur ar athrylith ddeallol Blegywryd, ond dyna hefyd un o gampau Cymraeg y ddegfed ganrif. Golyga fod ganddi ystwythder ynghyd â phendantrwydd sy'n arwyddion gwrtaith canrifoedd. Ystyr hynny yw bod hir ddatblygiad y tu ôl i ryddiaith y *Cyfreithiau*. Dangosodd Mr. Ellis fod yng Nghymru er oes Gildas alwedigaeth gyfreithiol. Nid yn unig ceid barnwyr llys a gawsai bob un addysg faith a manwl yn ei alwedigaeth, addysg a ddisgrifir yn fras yn y *Cyfreithiau*, ond yr oedd hefyd fargyfreithwyr wrth eu crefft,—tafodogion oedd yr enw arnynt,—a disgrifir eu swydd hwythau a rheolau eu galwad. Felly, heblaw bod ysgolion beirdd yng Nghymru yr oedd ysgolion cyfraith, gyda'u graddau a'u llyfrau a'u disgyblaeth. Ac os yn ysgolion y beirdd y lluniwyd

32

barddoniaeth Gymraeg, eglur yw mai yn ysgolion y gyfraith y lluniwyd ein rhyddiaith.

Ceisiwn enghraifft o ryddiaith y *Cyfreithiau*. Dyma ddau baragraff yn yr un adran y dywed y cyfreithwyr amdanynt eu bod ymhlith gorchestion meddyliol pennaf y gwaith, ac y gallwn ninnau fod yn bur hyderus eu bod yn y llyfr gwreiddiol yn sylweddol fel y rhoddwn hwynt yn awr, ond yn unig ein bod yn diweddaru'r orgraff :—

> Ni ddyly neb gymryd mach cynnogn, canys dau arddelw ŷnt. Ac ni ddyly neb onid dewis ei arddelw. Os cynnogn a ddewis, nid oes fach. Os mach a ddewis, nid oes cynnogn. Ac wrth hynny ni eill neb sefyll yn fach ac yn gynnogn.

> Ni ddyly neb wneuthur amod dros y llall heb ei ganiad, na thad dros ei fab, na mab dros ei dad, gan ni phara amod namyn yn oes y neb a'i gwnêl. Cyd gwneler amod yn erbyn cyfraith, dir yw ei gadw. Amod a dyr ar ddeddf.

Y mae'r ddau baragraff yn cofnodi dwy o'r oriau mawrion yn y Tŷ Gwyn ar Daf, er mai'r ail sy bwysicaf canys hwnnw a sicrhaodd nad llaw farw yn llethu twf sefydliadau newydd fyddai'r Cyfreithiau, ond yn hytrach gyfundrefn ystwyth yn hwyluso eu datblygiad. Gellid dewis degau o baragraffau mwy lliwus a disgrifiadol, ond chwilio am esiamplau o rym meddwl yr ydys yn awr. Awgryma'r ddau ddernyn mai un o rinweddau llenyddol y gwaith yw cyfoeth yr eirfa dechnogol. Termau felly yw *mach, mechnïaeth, cynnogn* (=dyledwr), *arddelw* (=un yn cydnabod hawl arno), *amod* (=cytundeb). Y mae'r cyfoeth hwn yn amlwg drwy'r cyfreithiau oll ; yn y cyfieithiadau Lladin ohonynt ni lwyddwyd i gael geiriau priodol i drosi lliaws o'r termau gwreiddiol a'r canlyniad yw britho'r copïau Lladin gan lu o enwau Cymraeg. Sylwer hefyd mai enwau haniaethol yw y rhain, enwau ar ddosbarthiadau, nid ar bethau unigol. Er mor syml yr ymddengys hynny heddiw, ni raid ond cymharu'r rhain â geirfa Cyfreith-iau'r brenin Alfred yn Wessex, lle nad oes odid un enw haniaethol o gwbl, er mwyn gwerthfawrogi camp yr arbenigwyr Cymraeg a maint eu diwylliant.

Gyda'r cyfoeth termau hyn ceir meistraeth ar ddiffiniad ac ar resymeg ffurfiol yr ysgolion. Dengys y *Cyfreithiau* esiamplau lawer iawn o ddiffinio gwyddonol ar syniadau haniaethol. Gwelir hefyd fod y cyntaf o'r ddau bar-agraff a godwyd uchod yn enghraifft ofalus o'r math o osodiad a elwir mewn rhesymeg yn *modus ponendo tollens.* Gellir ei gymryd, mi dybiaf, yn brawf digonol fod rhesymeg yn rhan o gwrs ysgolion y gyfraith yn Neheudir Cymru yn y ddegfed ganrif a chynt. Ac os yw Dr. Eoin MacNeill yn iawn yn lleoli ysgolion Pryd-einig olaf y *rhetores* clasurol yn Nyfed yn y chweched ganrif (*Studies*, Medi 1931), anodd yw peidio â gofyn y cwestiwn pensyfrdan, ai parhad o ysgolion y *rhetores* Lladin oedd ysgolion y *tafodogion* Cymreig a'r cyfreith-wyr ? Buasai hynny yn cysylltu dechreuad rhyddiaith Gymraeg yn uniongyrchol â phrif draddodiad diwylliant Groeg a Rhufain.

Pan gofiom mai ar ddiffiniad o natur rhyddiaith a barddoniaeth, fel y dangoswyd yn y bennod flaenorol, y sefydlwyd damcaniaeth lenyddol penceirddiaid Cym-raeg y ddeuddegfed ganrif, temtir ni i weld yn eu celfyddyd hwy ddylanwad uniongyrchol eu cyfathrach ag ysgolion y cyfreithwyr

Dengys marwnad Sefnyn i'r bardd Iorwerth ab y Cyriog fod cof am y gyfathrach yn aros yn y bedwaredd ganrif ar ddeg :—

Gwyddiad ffyrf ymryson,
Dafodiawg beirdd difudion.

Byddai'n naturiol i'r cyfreithwyr, gyda'u hymroddiad
i ddiffinio drwy ddosbarth a nodweddion, effeithio ar
gwrs damcaniaethau'r beirdd a'u symbylu hwythau i
weithio allan gyda chyffelyb resymeg natur eu hiaith
a'u crefft. Yn unig mewn gwlad a'r fath gyfathrach
yn bosibl ynddi y gellir dychmygu am gyfundrefn
cynghanedd yn tyfu. Megis mai athrylith athronyddol
y *Cyfreithiau* sy'n eu gosod ar eu pen eu hunain ymhlith
cyfreithiau gwledydd Ewrop yn y cyfnod, felly arbenig-
rwydd ar lenyddiaeth Gymraeg, yn farddoniaeth ac yn
rhyddiaith yn yr Oesoedd Canol, yw ei llywodraethu
hi gan ddamcaniaethau beirniadol ac athronyddol.

O safbwynt llenyddol dibynna manyldeb sicr diffin-
iadau'r *Cyfreithiau* ar ystwythder a chyflawnder cys-
trawen. Enghraifft o hynny yw'r dehongliad yn yr ail
baragraff uchod o gysegredigrwydd amod. Codwyd y
dyfyniad o'r copi (Harleian MS 4353) a sgrifennwyd
tua'r flwyddyn 1285. Dyma fel y mae yn y *Llyfr Du
o'r Waun* sy drigain mlynedd yn hŷn :—

> Ni ddyly neb wneuthur amod dros ei gilydd.
> Canys ni phara amod namyn einioes y dyn a'i
> gwnêl. Ni eill y tad addo amod ar y mab namyn
> gan ganiad y mab, ac ni eill y mab wneuthur
> amod ar dor y tad a'r tad yn fyw. Amod a dyr
> ddeddf. Cyd gwneler amod yn erbyn y gyfraith,
> dir yw ei gadw . . .

Fe welir nad yw'r gystrawen ddim mymryn yn llai
manwl na diamwys yma nag yn y copi diweddarach.
Rhaid honni ei bod yr un mor eglur pan gyfansoddwyd
y frawddeg yn y ddegfed ganrif. Canys ar fanyldeb y

35

gystrawen y dibynnai holl werth y dehongliad. Heb
sicrwydd ystyr a lleoliad yr arddodiaid, y rhagenwau,
y cysyllteiriau a'r gystrawen annibynnol, ni ellid mynegi
fel hyn natur amod a'i berthynas i ddeddf. Felly pa
faint bynnag o ddiweddaru a fu yn yr holl gopïau a
ddaeth i'n meddiant, gellir yn deg faentumio bod
cystrawen Gymraeg wedi cyrraedd aeddfedrwydd myn-
egiant erbyn canol y ddegfed ganrif. Teg yw cydnabod
mai'r cyfreithwyr biau'r holl glod am hynny. Anghenion
eu galwedigaeth hwy a luniodd gystrawen y Gymraeg,
ac os erys rhyddiaith Gymraeg hyd heddiw yn gyfrwng
mynegiant manwl ac yn iaith na ellir bod yn aneglur
ynddi, i'w disgyblaeth fore oes yn swyddfeydd y cyf-
reithwyr y mae hi'n ddyledus am y teithi hynny.

Rhinwedd arall ar y *Cyfreithiau* yw eu bod yn gyfun-
drefn. Dywed Mr. Ellis mai hyn a'u gesyd yn llwyr
ar wahân oddi wrth gyfreithiau llwythau. Y mae gan
hynny hefyd ei wedd lenyddol, canys o'i herwydd yr
oedd y gwaith a wnaeth Blegywryd yn ymarfer ac yn
esiampl mewn cyfansoddiad a ffurf. Yr oedd dosbarthu
a chysylltu â'i gilydd holl gorff arferion gwlad, mewn
sistem a ganiatâi gyfnewid a datblygiad, nid yn unig
yn orchest athronyddol ond yn gamp artistig. Trwyddo
fe roddwyd i draethawd mewn Cymraeg y fath gynllun
a'r fath ddisgyblaeth fel mai anodd wedyn fuasai i neb
ennill clod yn ein llên heb fod ar ei waith nodweddion
cyfansoddiad gorffenedig, cynildeb a chymesuredd a
threfn. Nid oddi wrth unrhyw lenyddiaeth dramor y
dysgodd rhyddieithwyr Cymraeg werth y priodoleddau
hyn. Eu treftadaeth hwy ydoedd.

Naturiol gan hynny yw bod y nodau hyn yn amlwg
ar weithiau cynharaf rhyddiaith greadigol y Gymraeg.
Craffwn ar y chwedlau hynaf a sgrifennwyd yn ein
hiaith, sef *Pedair Cainc y Mabinogi* a *Kulhwch ac Olwen*

y tybir eu cyfansoddi cyn dechrau'r ddeuddegfed ganrif
neu'n fuan wedyn. Y nodwedd amlycaf ar y ddwy
chwedl hyn yw nad un stori seml a draethir gan na'r
naill na'r llall, eithr eu bod yn gasgliad o liaws o hanesion
amrywiol eu tarddiad, heb gysylltiad gwreiddiol rhyng-
ddynt a'i gilydd, ac eto wele hwynt wedi eu dolennu
ynghyd, wedi eu cydosod mewn perthynas fywiol â'i
gilydd, a'r cruglwythi o draddodiadau a ffansïau wedi
eu gweddnewid yn ddwy deml eang, aml-stafellog, dan
reolaeth celfyddyd bensaernïol.

Gellid rhoi enghreifftiau eraill o'r gallu cyfundrefnu
hwn yn y storïwyr Cymraeg. Bodloner ar un esiampl.
Tua diwedd y drydedd ganrif ar ddeg troswyd i'n hiaith
gyfres o ramantau am y brenin Siarlymaen. Golygodd
Mr. Stephen Williams hwynt yn ddiweddar dan y teitl
Ystorya de Carolo Magno. Dywed Mr. Williams am-
danynt : " bu tri chyfieithydd, mae'n debyg, wrth y
gorchwyl, a bu'r olaf ohonynt yn olygydd ac yn grefftwr
digon cywrain i gydio darn o gerdd Ffrangeg, sef *Cân
Rolant*, wrth bennod o ryddiaith Ladin, o *Gronicl
Turpin*, wrth eu cyfieithu, *a hynny ar ganol brawddeg* ".

Ni ellir olrhain prifiant crefft y storïwyr Cymraeg.
Nid oes gennym enghraifft o chwedl gyntefig a'i harddull
a'i saernïaeth yn anaeddfed neu'n anllenyddol. Nid
yn unig y mae'r *Pedair Cainc* a *Kulhwch ac Olwen* yn
hynod am eu ffurf a'u cynllun, ond ceir ynddynt hefyd
bob medrusrwydd sy'n briodol i chwedl mewn rhydd-
iaith. Adroddir hanes yn gyflym ac yn gynnil. Ni
cheir yn y *Pedair Cainc* yr ailadrodd gormodol ar
fformwla arbennig sy'n flinder mor fynych mewn *folk-tale*
hyd yn oed pan fo llenor proffesedig wedi ei chaboli hi ;
ac os ceir peth o hynny yn *Kulhwch ac Olwen*, yno hefyd
fe'i cedwir o fewn terfynau. Dengys y chwedlau hyn
feistraeth ar dechneg ymddiddan mewn stori. Defnydd-

37

ir dialog yn y ddwy nid yn unig i fywiogi cynllun yr
adrodd a chyflymu rhediad, ond hefyd i beri syndod
dramatig a deffro chwilfrydedd. Y mae agoriad y
Pedair Cainc a'r dull y cyflwynir brenin Annwfn i'r
gwrandawydd yn batrwm o'r dull y dylid defnyddio
dialog yn gelfydd.

Dywedwyd uchod nad oes esiampl o gyflwr cynnar,
anllenyddol ar y chwedl Gymraeg. Y gwir yw nad oes
raid wrth y ddamcaniaeth fod y fath gyflwr erioed wedi
bod arni. Tebycach yw mai benthyg llenyddol oddi
wrth gelfyddyd oedd eisoes wedi datblygu i aeddfed-
rwydd artistig ydyw'r chwedlau rhyddiaith yn ein llên
ni. I'r Athro W. J. Gruffydd yr ydym yn ddyledus
am y ddamcaniaeth ddiddorol a gwerthfawr mai benthyg
oddi wrth gynllun Gwyddeleg ar stori ydyw *Pedair Cainc
y Mabinogi*. Sylwer mai benthyg *ffurf* a olygir yma,
nid benthyg deunydd, a ffurf sy bwysicaf o ddigon
mewn llenyddiaeth. Yn awr, ymhell cyn y ddeuddegfed
ganrif yr oedd y stori ryddiaith wedi ei dwyn i aeddfed-
rwydd yn Iwerddon, ac y mae ar gadw ystôr o chwedlau
Gwyddeleg lawer mwy toreithiog nag a geir mewn
Cymraeg. Yr oedd y ffurf hon ar lenyddiaeth yn ei
blodau yn Iwerddon hefyd yn yr unfed ganrif ar ddeg
a thrwy'r cyfnod y gwyddom fod ynddo gyfathrach
agos rhwng Cymru ac Iwerddon. Perthyn y *Pedair
Cainc* a *Kulhwch ac Olwen* i'r un byd, yr un moroedd a
thraethau, yr un drafnidiaeth ysbrydol, ag y perthyn
Buchedd Dewi a gwaith ysgol Sulien. Y mae eu holl
osgo tuag at Iwerddon. Ni ellir gan hynny wrthod
yn hawdd ddadl Mr. Gruffydd mai delw lenyddol
Wyddeleg sydd ar gynllun y *Pedair Cainc*. Ac os cywir
yw hynny, rhaid addef bod dylanwad y Gwyddyl yn
amlycach fyth ar arddull ac ar gynllun *Kulhwch ac
Olwen*. Gellir nodi pedair elfen sy'n awgrymu dyled yr
awdur i chwedlau Gwyddeleg : (1) defnyddio fformwla

ystrydebol mewn ymddiddan ac mewn traethiad megis yn holi ac ateb y cawr a Chulhwch ; (2) disgrifiadau gwawdluniol (*caricatural*) byrion o bersonau anferth ; (3) digrifwch bras, afradlon megis yn hanes y wraig a geisiodd gofleidio Cai ; (4) techneg y disgrifiadau barddonol o'r arwr a'i farch yn mynd i lys Arthur a'r disgrifiad enwog o Olwen ei hun. Ceir yn union y math hwn o ddisgrifio gyda'i gymariaethau naturiol a'i gyfoeth manylion lliw, yn gyson yn y chwedlau Gwyddeleg a gadwyd yn *Llyfr Leinster*.

Ond os benthyg oddi wrth Wyddeleg yw'r chwedl ryddiaith Gymraeg yn ei chychwyn, eto gellir yn deg honni i'r benthycwyr roi eu hargraff eu hunain ar y ffurf, Yn sicr y mae'r chwedlau Gwyddeleg yn llawer iawn cyfoethocach na'r rhai Cymraeg, ond y mae'r ychydig chwedlau Cymraeg yn gampweithiau ffurfiol, yn gryno, yn gyfain, ac yn rhagori mewn cymesuredd ar y rhamantau Gwyddeleg. Rhoes rhyddiaith Cymru ei diwylliant a'i disgyblaeth gyfreithiol ei hun ar afradlonedd y chwedlau Gwyddeleg. Hynny a gyfrif am rinweddau ffurfiol y *Pedair Cainc* a *Kulhwch ac Olwen*.

Rhaid ychwanegu sylw arall ar chwedlau'r cyfnod cyntaf hwn. Rhywfodd, enillodd *Pedair Cainc y Mabinogi* enwogrwydd helaethach na *Kulhwch ac Olwen* a chafodd hefyd fwy o astudiaeth gan ysgolheigion. Ond yn hanes y chwedl Gymraeg erys y *Pedair Cainc* ryw gymaint y tu allan i'r llif. Ni chafodd na'u harddull na'u deunydd effaith bwysig ar y chwedlau dilynol. *Kulhwch ac Olwen* yw'r gwaith mawr sylfaenol Cymraeg, ynddi hi y ceir gyntaf hanes Arthur a'i lys. Ei harddull hi hefyd a fu'n sylfaen i arddull y straeon diweddarach. Gorffwys y disgrifiad o Elen yn *Breuddwyd Macsen* ar astudiaeth o'r disgrifiad o Olwen ; y mae'r disgrifiad o'r arwyr a'r macwyaid yn *Breuddwyd Rhonabwy* yn

nhraddodiad y disgrifiad o Gulhwch a'i farch, a hanner
parodi ar y darlun hwnnw yw'r disgrifiad o Beredur ar
ei farch yntau ac yn ei arfau amrwd yn cyrraedd llys
Arthur. Gan hynny os ydyw'n iawn priodoli arddull y
disgrifiadau o Gulhwch ac Olwen i efelychiadau o
Wyddeleg, rhaid cydnabod mai i Iwerddon yr ydym yn
ddyledus am fath o sgrifennu a dyfodd yn brif geinder
ar ramantau Cymru.

Yn y flwyddyn 1136 digwyddodd peth a newidiodd
gwrs y chwedlau Cymraeg ac a agorodd ail gyfnod yn
eu hanes. Y peth hwnnw oedd ymddangos llyfr enwog
Sieffre o Fynwy, *Historia Regum Britanniae*, a droswyd
i Gymraeg yn ddiweddarach dan yr enw *Brut y Bren-
hinedd*. Llyfr yw'r *Historia Regum* yn honni rhoi hanes
cenedl y Brythoniaid o'u cychwyn yng Nghaer Droea
a'u dyfod i Brydain, a thrwy gyfnod eu mawredd
ymerodrol hyd at y pryd y collasant y cwbl o'u gwlad,
oddieithr y rhan a elwid Cymru. Dangosodd M. Edmond
Faral, yr esboniwr diwethaf ar waith Sieffre, fod y
llyfr yn ei brif linellau yn perthyn i ganol llif llenydd-
iaeth Ladin yr Oesoedd Canol. Dangosodd mai'r
Aeneid oedd ei batrwm pwysicaf, ond bod Ofydd,
Lucan, Statius, y Beibl, Beda, a nifer o lenorion eraill
o lawer math wedi cyfrannu at ddefnyddiau'r gwaith.
Y mae hyn yn bwysig i ninnau, canys er nad yw amcan
Sieffre o Fynwy yn broblem a berthyn yn uniongyrchol
i'r hanes presennol, eto oblegid pwysigrwydd eithriadol
dylanwad Sieffre mewn llenyddiaeth Gymraeg, y mae
prif bwynt ymchwil M. Faral yn hynod werthfawr ei
awgrymiadau. Canys un canlyniad buan a chwyldro-
adol i gyhoeddi'r *Historia* oedd dileu'r byd Celtaidd,
Gwyddelig a fuasai'n gartref y chwedl Gymreig hyd at
hynny, a throi golygon ein cyfarwyddiaid oddi wrth y
gorllewin tuag at y deau, oddi wrth Iwerddon tuag at
Ewrop, ac oddi wrth Fôr Iwerydd tuag at Fôr Udd.

Cymharer daearyddiaeth y *Pedair Cainc* â daearydd-iaeth *Breuddwyd Macsen* a *Lludd a Llefelys* ac fe welir y gwahaniaeth yn ebrwydd. Trowyd o'r byd Celtaidd i'r byd Rhufeinig.

Nid yw'r cyfnewid hwn ond arwydd o wahaniaeth dyfnach. Gwelsom mai Gwyddelig oedd ysbrydiaeth y cyfnod cyntaf ar y chwedl Gymraeg. Yr hyn a welodd y cyfarwyddiaid yn yr *Historia Regum* oedd ffynhonnell Gymreig a defnydd Cymreig i'w celfyddyd. Creasai Sieffre orffennol rhamantus a mawreddog i'r genedl Gymreig. Ei swydd oedd bod yn *laudator temporis acti,* yn glodforwr y dyddiau gynt, pan fuasai'r Brythoniaid, yn ôl ei stori ef, yn gryfion ac yn feilch, yn ymerodron yn Ewrop ac yn gymheiriaid â choncwerwyr. Darganfu'r chwedleuwyr yn ei lyfr ef destun priodol i ddawn a dychymyg storïwyr Cymraeg, sef gorffennol rhamantus y genedl a'i bri yn Ewrop gynt. Felly fe ddisgrifiodd awdur *Lludd a Llefelys* Gymry yn frenhinoedd ar Brydain a Ffrainc ac yn sefydlu dinas Llundain megis y sefydlasai Aeneas ddinas Rhufain. Yna daeth awdur *Breuddwyd Macsen* a darluniodd briodas Cymru a Rhufain a'r Brythoniaid yn darostwng prifddinas yr ymerodraeth, ac eglurodd wendid diweddarach Cymru drwy ddangos yn null Sieffre fel yr aethai goreugwyr y genedl i'r cyfandir a gwladychu yn Llydaw. Yn olaf daeth awdur *Breuddwyd Rhonabwy* i bortreadu gogoniant a rhwysg oes aur y Brythoniaid, a dilynodd ef syniad Sieffre ac *apologia* Sieffre i'r pen, canys megis yr esboniasai Sieffre fachludiad y genedl drwy ddangos bod ei gwyrda oll wedi croesi i'r cyfandir ac ymsefydlu yn Llydaw gan adael y *plebs,* y taeogion, yn unig i amddiffyn Prydain, felly hefyd yr eglurir gan awdur *Breuddwyd Rhonabwy* :

" Arglwydd, heb Iddawg, beth a chwerddi di ? "

41

"Iddawg, heb yr Arthur, nid chwerthin a wnaf, namyn truaned gennyf fod dynion *cyn fawed â hyn* yn gwarchadw yr ynys hon gwedi gwŷr cystal ag a'i gwarchetwis gynt."

Nid yw *Breuddwyd Rhonabwy* namyn brodwaith dychymyg cyfoethog ar gyferbyniad Sieffre rhwng y Cymry taeogaidd presennol a'r arwyr ysblennydd gynt. Simbol o'r cyferbyniad hwnnw yw'r darluniau, y naill o'r tŷ du, llawn mwg a chwain a thaeogion, a'r llall o'r gwersyll Arthuraidd yn ei odidogrwydd lliw, y byd aur na ellid dianc yn ôl iddo ond drwy borth breuddwyd Sieffre.

Yn y chwedlau Cymreig hyn a ysbrydolwyd gan lyfr Sieffre y ceir hefyd bwynt uchaf celfyddyd y chwedlau gwreiddiol mewn Cymraeg, celfyddyd sy bellach yn hollol Gymreig a'r elfennau benthyg wedi eu meistroli a'u llwyr addasu i'w hawyrgylch. Arwydd o hynny yw'r ysbryd beirniadol a'r gelfyddyd ymwybodol ohoni'i hun sydd ynddynt. Nid oes a ddengys yn sicrach ysbryd beirniadol mewn stori na'r modd y defnyddir hiwmor ynddi. Yn lle'r digrifwch bras Gwyddelig ceir yn awr hiwmor cyfrwys Cymreig, a defnyddir hwnnw gan yr artist a sgrifennodd *Breuddwyd Macsen* mewn dull na wn i am ei debyg mewn llenyddiaeth, sef i ddwyn i bwynt argyfwng yn ei stori y disgrifiad godidog o'r enwocaf o Gymraesau rhamant :—

A morwyn a welei yn eisted rac y vronn y mywn kadeir o rudeur. Mwy noc yd oed hawd disgwyl ar yr heul pan vei teckaf, nyt haws disgwyl arnei hi rac y thecket. Crysseu o sidan gwynn a oed am y vorwyn, a chaeeu o rudeur rac y bronn, a swrcot o pali eureit ymdanei, a ractal o rudeur am y phenn, a rudem a gem yn y ractal a mein mererit

42

pob eilwers ac amherodron vein. A gwregis o
rudeur ymdanei, ac yn teckaf golwg o dyn edrych
arnei. A chyvodi a oruc y vorwyn o'r gadeir
racdaw. A dodi a wnaeth ynteu y dwylaw am
vwnwgyl y vorwyn, *ac eisted a wnaethant ell deu
yn y gadeir eur. Ac nyt oed gyvyghach y gadeir
udunt ell deu noc y'r vorwyn e hun.*

Y mae defnyddio hiwmor mor dawel a chynnil â hyn
yn arwydd o gelfyddyd gyfrwys, feirniadol, sy'n chwilio
am effeithiau cywrain. Felly hefyd yr elfen ddisgrifiadol
gref. Yn *Breuddwyd Rhonabwy* ceir honno'n tra-
arglwyddiaethu. Ynddi hi braidd na ddiflannodd pob
rhith o'r peth syml, poblogaidd anllenyddol hwnnw a
fuasai'n gychwyn yr holl draddodiad, sef y stori. Ni
cheid ynddi ddatblygiad hanesiol o gwbl. Nid ad-
roddir dim. Y mae'n hollol statig. Dau ddarlun sydd
ynddi a chelfyddyd ddisgrifiadol bur. Nid celfyddyd
stori mohoni mwyach na chelfyddyd y cyfarwydd.
Trechwyd honno a diflannodd gerbron celfyddyd y
llenor, llenor oedd yn cystadlu â chelfyddyd ddisgrifio'r
beirdd, " a llyma yr achos na ŵyr neb y freuddwyd, na
bardd na chyfarwydd, *heb lyfr* ". Gwelsom y duedd
hon ar ei phrifiant, a'r ddawn ddisgrifio yn cydbwyso'n
hapus â'r ddawn stori yn *Breuddwyd Macsen.* Yn yr
ail freuddwyd cyrhaeddodd y duedd bwynt na chaniatâi
bosibilrwydd datblygiad pellach. Disodlwyd y storïwr
gan yr artist. Gwnaethpwyd campwaith cywrain a
dihafal drwy hynny, campwaith oer. Lladdwyd y
chwedl wreiddiol Gymraeg yr un ffunud. Bu farw o
orberffeithrwydd. Ar ôl *Breuddwyd Rhonabwy* ni cheir
ond parodïau ac efelychiadau eiddil.

Os darfu gyda *Breuddwyd Rhonabwy* y chwedl wreiddiol
ac annibynnol ar destun Cymreig, ni bu farw er hynny
y chwedl mewn Cymraeg na chelfyddyd y stori. Un-

waith eto, wedi iddi ddisbyddu un ffynhonnell, cafodd gychwyn a chynhyrfiad newydd, a'r tro hwn oddi wrth Ffrainc. Erys barn ysgolheigion eto'n ansicr parthed amseriad a tharddiad y tair chwedl enwog, *Peredur, Iarlles y Ffynnon, Geraint ac Enid*. Gan fod yn rhaid mentro ar ddamcaniaeth, bwriwn mai yn y drefn a nodwyd uchod yr ysgrifennwyd hwynt yn y ffurf orffenedig sydd arnynt heddiw, eu bod mewn rhan yn fras-drosiadau neu'n addasiadau rhydd o ramantau mydryddol Ffrangeg a gyfansoddasid yn gynharach na gweithiau Chrétien de Troyes, ond bod rhannau helaeth ohonynt hefyd yn gynnyrch gwreiddiol yr ystorïwyr Cymraeg wedi eu gweu i mewn i'r defnydd Ffrangeg, ac awgrymwn ymhellach mai yn chwarter olaf y ddeu-ddegfed ganrif y gwnaethpwyd hwynt. Y tu ôl i'r chwedlau hyn felly yr oedd holl ymarfer a phrofiad y storïwyr Cymraeg. Gellir canfod arnynt yma ac acw olion atgof am bob un o'r straeon o *Kulhwch ac Olwen* ymlaen, oddieithr yn unig y *Pedair Cainc*. Ond ni cheisiant ychwaith ailgerdded y llwybr datblygiad a arweiniasai gynt i gelfyddyd dapestrïaidd *Breuddwyd Rhonabwy*. Y mae'r rhamantau Ffrangeg wrth law i rwystro ymgolli eilwaith mewn disgrifio pur. Y can-lyniad yw bod y disgrifiadau'n gyflym a chymedrol ac yn ymweu fel edau aur drwy'r hanesion. Yr un ffunud ni raid ond cymharu'r gwaith trwsgl a wnaeth y Ffranc-wyr ar yr unrhyw ddefnyddiau i ddeall mai i'r traddod-iad a'r ddisgyblaeth artistig Gymreig y mae'r clod am firaglau ffurf a chymesuredd ymadrodd y tair chwedl Gymraeg. Yn y drindod hon y ceir efallai gamp uchaf ein rhyddiaith yn yr Oesoedd Canol. Nid oes ynddynt ddim o'r *tour de force* crefftol sydd yn y ddwy Freuddwyd. Llyfn yw rhediad eu brawddegau, cadarn ac ystwyth yw eu gafael ar gynlluniau'r storïau. Creant gyda'i gilydd fyd dychmygol eglur, heulog, chwerthinog, heb dor-calon ar ei gyfyl nac un gydwybod anniddig, ond

44

sy'n llawn gwarineb ac antur ac ymffrost a ieuangrwydd didrannoeth. Byd celfyddyd yw, nid byd hiraeth, ac nid oes ynddo gyfeiriad, megis y sydd yn y ddwy Freuddwyd, at ddim a fu ac a gollwyd. Rhaid cydnabod yn arbennig brydferthwch dechreuad *Iarlles y Ffynnon* a *Geraint ac Enid*. Ni bu erioed lawenach darlunio mewn Cymraeg. Gellid yn briodol ddweud am yr arddull, "mae'r wawr yn cerdded ar ei hôl".

Cyfieithiadau yw crynswth y chwedlau eraill Cymraeg. Y mae toreth ohonynt. Troswyd rhai o Ladin, llawer o Ffrangeg, *Ystorya de Carolo Magno* yn y drydedd ganrif ar ddeg, y *Seint Greal* y ganrif wedyn, *Amlyn ac Amig* yn y bymthegfed. Ar ei gorau y mae'r rhyddiaith hon, megis pan ymgodymo â cherddi epig Ffrainc, yn greadigaeth newydd. Y mae Rolant gyda'i hoen a'i chwerthin ysgafala a'i falchder, er mai bardd o Ffrainc a'i lluniodd ac a biau'r holl glod am hynny, eto'n un o gymeriadau byw ein llenyddiaeth ninnau, oblegid bod athrylith y cyfieithydd o Gymro wedi ei chynnau gan athrylith y bardd Ffrangeg ac wedi darganfod geirfa a rhithmau rhiniol a roes egni Cymraeg hefyd i ogoniant a thrasiedi Rolant. Yn unig dan arweiniad golygyddion ac ysgolheigion ifainc y blynyddoedd diwethaf y dechreuwyd cydnabod bonedd y cyfieithwyr hyn. Y duedd gynt oedd awgrymu bod rhyddiaith Gymraeg yn gorffen ei gyrfa bwysig gyda'r ddeuddegfed ganrif. Heddiw gwelwn fod yr yrfa honno'n ymestyn yn rymus a didor bron hyd at William Salesbury a dechrau rhyddiaith fodern. Ceir un stori enwog a sgrifennwyd yn y 15fed ganrif, sef *Saith Doethion Rhufain*, sydd mewn rhan o leiaf yn waith gwreiddiol Gymraeg. Ceir ynddi brofion fod ei hawdur wedi astudio *Kulhwch ac Olwen*, ffynhonnell yr holl ysgol Gymraeg mewn storïaeth. Y mae hynny'n brawf boddhaol o hirhoedledd y traddodiad.

Ni ellir gorffen yr amlinelliad hwn o hanes ein rhydd-iaith gynnar heb sôn am waith y crefyddwyr. Hwynt-hwy a droes lyfrau ar wyddoniaeth ac ar wyddor crefftau i Gymraeg, megis *Delw y Byd*, *Ffordd y Brawd Odrig*, *Traethawd ar Hwsmonaeth*. Ym meysydd hanes ac athroniaeth a diwinyddiaeth y bu eu llafur pwysicaf. Eu gwaith hwy yw llawer o'r Bucheddau a'r Brutiau Lladin a'r cyfieithiadau Cymraeg ohonynt a'r cyfieith-iadau a geir hefyd o rannau o'r Efengylau mewn Cymraeg. Awgrymiadol dros ben yw'r cyfeirio mynych yn *Brut y Tywysogion* at yr ysgolheigion Cymreig. Fe wyddys bod cadw cronicl Lladin o helynt bywyd yng Nghymru yn rhan o draddodiad ysgolheigion Mynyw mor fore ag oes Asser. Parhawyd yr arfer yn Llanbadarn Fawr pan symudodd canolfan ein hysgol-heictod yno. Pan ddaeth y Sistersiaid i Gymru, ac i Ystrad Fflur yn 1164, cymerasant hwythau faich y traddodiad Cymreig a chynnal y cronicl, a'i olygu a'i droi yn y diwedd yn Gymraeg, gan roddi inni yn *Brut y Tywysogion* lyfr a eilw Dr. J. E. Lloyd yn "gofgolofn bwysicaf hanesiaeth Gymreig". Y mae'r llyfr hefyd yn un o gampweithiau ein rhyddiaith. Nid oes gennym ddim arall yn gwbl debyg iddo. O'r unfed ganrif ar ddeg hyd at flwyddyn terfynu annibyniaeth Gwynedd y mae'n ddarlun fflachiog, cyffrous, anwastad o fywyd ein gwlad. Disgyn ar brydiau i fod yn rhestr undonog o farwolaethau. Ond pan fo'n llawn a byw, ac y mae felly'n aml, ceir ynddo ddisgrifiadau gweledydd, hwyl wrth adrodd, a thyf ei sêl dros "genedl y Brytaniaid" o ddifrifwch i ddwyster pan olrheinia dreigl blynyddoedd olaf Llywelyn ap Gruffudd, hyd na all ef oddef cloi ei stori, ond dibennu'n swta gydag awgrym cynnil a thorcalonnus am agosáu "dyddiau y dioddefaint".

Arbenigrwydd arall ar y *Brut* yw'r disgrifiadau o'r tywysogion, yn enwedig o gymeriadau blaenllaw y

ddeuddegfed ganrif. Nid yw ei ddarluniau yn ystryd-
ebol. Ceir yn fynych gyffyrddiad personol sy'n gwar-
antu'r portread, megis y pictiwr hwnnw o Gadwgawn
feddal yn ymddiddan gyda'r brenin Henri yn ei lys pan
ddaw newydd am un o anturiaethau enbytaf ei fab
Owain ap Cadwgawn, a throi o'r brenin ato gan ofyn
" Beth a ddywedi di ? ", a'r tad druan yn ateb yn hurt,
" Nis gwn i ". Ni all y croniclydd ychwaith wrthod
ei edmygedd i amynedd dyfal a thegwch barn nerthol
y brenin Henri, a theifl ei lamp wibiog ar un ac arall
o arglwyddi Cymru, gan oleuo mawrfrydigrwydd tym-
hestlog a dyfnder teimladau naturiol Owain Gwynedd,
athrylith amryddawn, gyflym, flaengar Hywel ab Owain,
gwroldeb ifanc Einion ab Anarawd "yn dolurio
cyfarsangedigaeth ei briod genedl ", a llu ychwaneg.
O ran arddull, y pethau llafurfawr yn y *Brut* yw'r
paragraffau o foliant marwnadol i amryw o'r prif
dywysogion ac ysgolheigion. Y mae rhai ohonynt yn
ymarferiadau helaeth yn rhetoreg ffurfiol yr ysgolion
Lladin. Haeddant eu hastudio'n drwyadl a'u cymharu
â marwnadau'r beirdd ac â phethau cyffelyb iddynt
gan ysgolheigion y cyfandir. Traddodiad llenyddol
Lladin sy'n ganllaw iddynt, fel y dengys y mwyaf
blodeuog ohonynt oll, sef epitaff yr Arglwydd Rhys
gyda'i gyfeiriadau at Ystas(=Statius) a Fferyll Fardd
(=Virgil), a'i gymariaethau clasurol a'i gais i dros-
glwyddo i Gymraeg rithmau rhyddiaith Ladin. Mewn
un llawysgrif, sef *Peniarth* 20, ychwanegwyd darn
helaeth o gerdd Ladin at y paragraff hwn.

Llyfr Ancr Llanddewibrefi a sgrifennwyd yn 1346 yw'r
casgliad Cymraeg helaethaf a gadwyd inni o draethodau
athronyddol a diwinyddol, er bod mewn llawysgrifau
eraill ddarnau lawer hefyd. Y tri thraethawd sy'n
arbennig yng nghasgliad yr ancr yw *Historia Lucidar*,
Pwyll y Pader o Ddull Hu Sant, a *Cysegrlan Fuchedd*.

47

Cyfieithiadau yw'r ddau cyntaf o weithiau Lladin a gyfansoddwyd yn y ddeuddegfed ganrif gan ddau athronydd tra dylanwadol. Nid ydys eto wedi penderfynu pa rannau o *Cysegrlan Fuchedd* sy'n gyfieithiad a pha rannau nad ydynt. Perthyn y rhannau athronyddol ohono fodd bynnag i'r un ysgol o feddwl â'r ddau draethawd arall. Diwinyddiaeth ac athroniaeth Awstinaidd y ddeuddegfed ganrif a geir ynddynt, gyda thuedd gyfriniol bendant, ac yn *Cysegrlan Fuchedd* yn wir y defnyddir gyntaf mewn Cymraeg y term *cyfrinach* yn ei ystyr dechnegol mewn diwinyddiaeth. Rhan bwysig o ddiddordeb y traethodau hyn yw eu bod yn gyfoethog o dermau felly ac o ddiffiniadau athronyddol. Datguddir inni ynddynt ffynhonnell geirfa William Salesbury pan ymroes i Gymreigio epistolau Paul, a chanddynt hwy hefyd y disgyblwyd ac y lluniwyd yr eirfa a ddefnyddir ymhen hir a hwyr gan Forgan Llwyd o Wynedd. Ond y mae i'r traethodau hefyd eu gwerth annibynnol. Yr oedd Hu Sant, neu Hugo o fynachlog San Victor ym Mharis, yn un o arweinwyr meddyliol ei ganrif, ac nid yw'r *Elucidarium* ychwaith yn annheilwng o'r poblogrwydd a gafodd ymhlith efrydwyr llawer cyfnod. Cynrychiola'r gweithiau hyn y deffroad athronyddol pwysig a fu yn Ewrop yn y 12fed ganrif.

Cawsant gyfieithwyr Cymraeg sy'n aml yn feistri rhyddiaith. Rhoddwn yma un enghraifft i ddangos mor fodern yw cywair eu harddull. Darn o'r *Elucidarium* ydyw, wedi diweddaru ei orgraff yn unig :—

Ac am y rhai gwirion oll y dywedir, hwynt a fyddant gyffelyb i'r angylion ; megis weithiau pe delai brenin heibio a gweled ohono ddyn gwan yn gorwedd yn y dom, a pheri ei ddyrchafael a'i olchi a'i wisgo o'i ddillad ei hun, a'i gymryd yn fab iddo a rhoddi brenhiniaeth yn dref tad iddo, felly pan weles Duw ninnau yn llwch pechod, y'n dyrchefis i fyny drwy ffydd, ac y'n golches o ddwfr y bedydd, a dodi enw ei deilyngdod ei hun arnom, a'n gwneuthur yn etifeddion ar ei deyrnas, megis y dywedir : y sawl a'i cymerth, ef a roddes feddiant iddynt i fod yn feibion Duw, a hynny i'r neb a greto yn ei enw ef . . .

Llyfnder ac amrywiaeth rhithmau'r paragraff hwn sy'n swynol.

Hawdd fyddai dethol darnau eraill a ddangosai braffter a grym y cyfieithydd athronyddol a chyfriniol. Canys yn y llyfrau hyn daeth Awstiniaeth prifysgolion y ddeuddegfed ganrif i Gymru a llunio traddodiad athronyddol cryfaf ein hanes.

Ni cheir unrhyw gasgliad o weithiau athronyddol mor helaeth â llyfr yr Ancr yn y bymthegfed ganrif, ac fel y dangosir mewn pennod arall nid oedd yr un diwydrwydd ymysg yr athronwyr yn y ganrif honno. Ond erys o hyd ddarnau diddorol yn y llawysgrifau nas argraffwyd eto, a hyd onis cyhoedder, anodd fydd rhoi barn ar ryddiaith athronyddol ddiweddaraf yr Oesoedd Canol. Cyhoeddodd Dr. Theodor Chotzen yn y *Revue Celtique* (Cyf. xlviii) un o'r testunau pwysicaf sef *Llyfr Theophrastes o'r Neithiorau*, darn o waith coll gan Theophrastus a gadwyd gan Sant Ierom ac a fu'n fawr ei ddylanwad ar lenyddiaeth drwy Ewrop yn yr Oesoedd Canol. Offeiriad o'r enw Huw Pennant oedd y cyfieithydd Cymraeg. Ni ddengys y traethawd hwn unrhyw ddisgyniad oddi wrth safon y cyfreithwyr da gynt. Dywed Dr. Chotzen mai cyfieithiad Boccaccio o'r darn hwn o'r *Aureolus* i Eidaleg yw'r unig drosiad cyflawn arall a wnaethpwyd cyn y Dadeni Dysg.

Arferid dweud nad oedd traddodiad llenyddol mewn rhyddiaith Gymraeg megis mewn barddoniaeth yn yr Oesoedd Canol. Ond po fwyaf yr astudiom y cwestiwn, mwyaf o le i amau hynny a gawn. Gwir yw ddarfod i awduron y Dadeni gychwyn rhyddiaith newydd ac ymwrthod ag esiampl yr hen ryddiaith, er iddynt efallai dderbyn hefyd fwy oddi wrth honno nag a dybiwyd gynt. Ond y mae'n dra thebyg mai tuedd beirniadaeth y dyfodol fydd pwysleisio parhad di-fwlch traddodiad rhyddiaith hyd at drothwy'r cyfnod modern.

Beirdd yr Uchelwyr

ER gwaethaf cwymp annibyniaeth Gwynedd a thranc yr olaf o'r teulu galluog o dywysogion a arweiniasai fywyd Cymru am ddwy ganrif, un o'r teuluoedd brenhinol hynotaf yn hanes y Gorllewin, safodd Cymru ar drothwy'r bedwaredd ganrif ar ddeg yn wlad ar ei phen ei hun, yn uned arbennig mewn llywodraeth, deddfwriaeth a gwareiddiad. Yn y flwyddyn 1301 cydnabuwyd yn llawn ei neilltuolrwydd politicaidd hi a gwahanwyd yn llwyr bendant rhyngddi a Lloegr. Ni ellir rhoi gormod pwyslais ar hynny. Hebddo buasai hanes llenyddol y cyfnod nesaf yn amhosibl. Mewn gwlad a gydnabyddid yn uned arbennig mor sicr ag yn nyddiau ei thywysogion ei hun y datblygodd llenyddiaeth Gymraeg y bedwaredd ganrif ar ddeg a'r bymthegfed. Wedi diogelu hynny, lleddfwyd llawer ar y gofid o golli llys y tywysog. Eisoes mewn llawer rhanbarth diflanasai ei awdurdod ef er ys talm, a than y gyfundrefn economaidd deuluol a ffynnai yng Nghymru nid oedd yn anodd, er gwaethaf y gadwyn o gestyll a estynnwyd drosti, i'r wlad ymroddi'n egnïol i adsefydlu ei thraddodiadau, adeiladu tai newyddion a sicrhau ffyniant llenyddiaeth.

Ym mhob rhan o Gymru, yn Neau a Chanolbarth a Gogledd, cododd y prif deuluoedd i gymryd arnynt faich a braint arweinyddiaeth ac i fod yn gynheiliaid diwylliant. Felly ni ddarfu am alwedigaeth cerdd dafod na cherdd dant. Diau y datodwyd llawer ar hen drefniadau'r galwedigaethau hyn. Peidiodd Pencerdd â bod yn enw ar swyddog mewn llys. Cedwid ef yn enw moes ar brydydd da. Gwell peidio â dyfalu ynghylch tynged y Bardd Teulu, canys y mae'n ansicr a fu'r fath swydd hyd yn oed yn y ddeuddegfed ganrif. " Disgybl i brydydd yw teuluwr " ebr un llawysgrif o ddechrau'r bymthegfed ganrif. Lluniwyd llawer dadl frau ar dybiaethau ynghylch canu'r teuluwr. Y cwbl sy'n ddiogel yw bod yn defnyddio pencerdd, prydydd, teuluwr, teuluwas, bardd, clerwr o'r bedwaredd ganrif ar ddeg ymlaen yn gyfystyron â'i gilydd, bod un urddas iddynt oll, ac mai enwau parch yw *eurglerwyr* a *heirddgler*.

Daeth clera felly yn rhan reolaidd o fywyd y bardd swyddogol Cymraeg. Dechreuodd mewn anghenraid oherwydd colli'r llys ; tyfodd yn arfer, datblygodd yn drefn. Bellach nid y llys a'r ysgol yw cefndir bywyd y bardd, ond yr ysgol a neuaddau uchelwyr ac abadau, y croeso a'r seibiant, y teithio yn ôl cynllun dros fryniau a dyffrynnoedd ac ar hyd yr hen ffyrdd Rhufeinig, ond gan " ochel trefi ", ac yna ymhen hir a hwyr y dychweliad. Disgrifia Iolo Goch a Llywelyn Goch deithiau felly o Ogledd Cymru i'r Deheudir, a daeth croesawu " clêr Wynedd " yn rhan o " uchelwriaeth " y Deau. Ceir cywyddau ac awdlau hefyd a ddengys agwedd arall ar gylchdeithiau'r clerwyr, troeon trwstan y siwrnai, megis damwain Dafydd y Coed ger Rhaeadr Gwy, neu'n waeth na'r cwbl y croeso anghynnes mewn tŷ

" Lle y berwir barf y bwch cyrnig ".

Yn llyfr bychan Dr. J. E. Lloyd, *A History of Wales*, ceir paragraff da ar gyfraniad yr uchelwyr i fywyd y cyfnod hwn. Dywed ef : " Y ffaith arwyddocaol yw pwysigrwydd di-dor yr hen deuluoedd, y dosbarth oedd yn nesaf at y tywysogion gynt. Y rhain oedd uchelwyr a gwyrda dyddiau ein hannibyniaeth, gwŷr a ymfalchïai yn eu gwaed rhydd a'u hen dras, gwŷr o gyfoeth a hamdden a chanddynt weision lawer, ac yn noddwyr

hael i'r beirdd. Nid ymddengys eu bod fel dosbarth
wedi eu tlodi lawer gan y newid gwleidyddol a ddaethai
arnynt. Yn eu plith yr oedd arglwyddi Penmynydd a
Threcastell ym Môn, disgynyddion oddi wrth Brif-
weinidog i Lywelyn Fawr. Ceid hefyd Fathafarn ger-
llaw Machynlleth, Gogerddan gerllaw Aberystwyth,
Brynyfoel wrth ymyl Cricieth, a Bryncynallt ar fin y
Waun,—heb enwi ond ychydig—yn hen gartrefi bonedd-
igion o'r math hwn ".

Ymhlith yr uchelwyr hyn tua chanol y ganrif yr oedd
rhai a ymddiddorai'n arbennig mewn cerdd dafod.
" Deallu barddlyfr da a ellynt ", ac ymroent yn egnïol
i ddiogelu ei thraddodiadau hi a gwrthsefyll y duedd
ddigon naturiol mewn cyfnod o gyfnewid i groesawu
mathau estron a mathau mwy poblogaidd o ganu. Yr
hynotaf y gwyddom amdanynt o blith y rhain oedd
Ieuan Llwyd ab Ieuan o Ddyffryn Aeron a'i fab Rhydd-
erch ar ei ôl a Hopcyn ap Tomas o Ynystawe, y tri yn
feirdd, yn athrawon beirdd, a'u pyrth yn agored iawn
i brydyddion o'r hen ddull. Ceir disgrifiad gan Gasnodyn
o Ieuan Llwyd :

Llyw a'm dysgodd hawdd hoddyaw gerdd berffaith,
Nid fal sothachiaith beirdd caith Caeaw.

Calon y Cantref Mawr rhwng Teifi a Thywi oedd
Caeo. Nid nepell oddi yno'r oedd y Cryngae, cartref
Llywelyn ap Gwilym, ewythr ac athro i Ddafydd ap
Gwilym. Dengys toddaid Casnodyn fod yr ardal yn
enwog am farddoniaeth o fath newydd a phoblogaidd,
"sothachiaith beirdd caith ", y math o ganu a gysylltir
yn arbennig ag enw Dafydd ap Gwilym. Canmolir
Ieuan am na noddai ef y cyfryw ganu. Tebyg yw
tystiolaeth Dafydd y Coed i Rydderch ab Ieuan :
" Gŵyr Rhydderch ein heuro a'n hurddo a'n dysgu a'n

puro ac arbed pob salwedd ac eiriach rhygaru dim serthedd ". Y mae'n nodedig na chanodd neb un bardd *gywydd* i Hopcyn ap Tomos. Ni dderbyniai ef namyn awdl, ac ni chanodd Dafydd ap Gwilym iddo o gwbl. " Lleyg yw pawb wrth Hopcyn " ebr Iorwerth Llwyd yn wylaidd amdano. Wrth ei fwrdd ef y darllenodd Dafydd y Coed y *Greal* a'r *Annales Cambriae*, y *Cyfreithiau* a'r *Elucidarium*. " Coron y doethion " yw ef gan Feurig ab Iorwerth :

> I Feda a Chadw, gynefodig iôn,
> Am ei atebion y mae tebig,
> Caeth awdur mesur, moesau Ffrengig,

ac fe ddengys y cyfeiriadau fod diwylliant a dysg Ewrop yn destunau ymddiddan yn ei neuadd. Tystia Llywelyn Goch fod ei huodledd wrth esbonio'r henfeirdd yn ddiderfyn :

> Eofn llwyr y gŵyr egori hyd frawd
> A ddywawd praffwawd y proffwydi.

Os buandra i ymgymryd â gwasanaeth a chyfrifoldeb gwladol yw un o arwyddion pendefigaeth, da yr haeddodd yr uchelwyr hyn etifeddu lle'r brenin a lle'r tywysog yn nhraddodiad Taliesinaidd y beirdd Cymraeg. Heb-ddynt ni safasai'r traddodiad. Yng ngeiriau Statud Gruffudd ap Cynan :—" A gwedi'r tywysogion, y cym-erth y gwŷr boneddigion, a hanoeddynt o waed y tywysogion, y gwŷr wrth gerdd atynt." (B.B.C.S., V, 27).

Ond yr oedd eto un peth yn eisiau er mwyn sicrhau lle i uchelwr a gwreigdda ac abad mewn moliant Cymraeg, a hynny oedd sylfaen athronyddol i'r cyfryw ganu. Gwelsom fod y sylfaen honno'n bwysig gan ysgolion y penceirddiaid yn y ddeuddegfed ganrif a'i chael y pryd hynny yn athrawiaeth yr ysgolion rhetoreg Lladin. Er mwyn deall barddoniaeth unrhyw dymor o'r Oesoedd Canol rhaid cofio am natur sinthetig meddwl y cyfnod a chysylltiad pob adran o wybodaeth â'i gilydd. Ni ellid cyfiawnhau barddoniaeth onid oedd iddi werth a budd y gellid eu dangos yn athronyddol. "Rhaid yw gwybod bellach pa ffurf y dylyer moli pob peth o'r y pryder iddo, a pha bethau y dylyer prydu iddynt". Hynny oedd cyfraniad newydd a phwysig Einion Offeiriad i athrawiaeth lenyddol Gymraeg tua 1322.

Ychydig iawn a wyddys am Einion. Lluniodd fesurau newydd i gerdd dafod. Gwnaeth ramadeg a enillodd hawliau awdurdod. Yr oedd ei hunan yn fardd. Awgryma'r Athro Ifor Williams yn ei draethawd tra gwerthfawr arno mai yn Rhydychen yr addysgwyd ef. Y rhwystr mawr inni dderbyn y ddamcaniaeth honno yw natur hollol Blatonaidd ei ddysgeidiaeth ef. Pes dysgesid yn Rhydychen, buasai'n ddisgybl yno tua'r un adeg â William Ockham (1312—1318), ac anodd iawn credu y daethai oddi yno i faentumio'r Realiaeth geidwadol a amlygir yn ei *Ramadeg*. Tebycach o lawer mai yn un o ysgolion y Sistersiaid yng Nghymru y bu. Yn unig yn 1245 y dechreuodd y Sistersiaid agor ysgol athroniaeth ym Mharis. Digon prin y gallasent fod wedi sefydlu cyrsiau yn eu mynachlogydd Cymreig cyn 1300. Yr oeddynt yn ochelgar a cheidwadol eu dysg, a gwelwn ar athrawiaeth Einion Offeiriad yr holl nodau a ddisgwyliem gan ddisgybl iddynt.

"Pa bethau y dylyer prydu iddynt?" Term technegol mewn athroniaeth yw *peth*. Defnyddid ef i gyfieithu'r Lladin *res*, y gair a rydd inni *real* a *realiaeth*. Defnyddid y gair *gallu* weithiau'n gyfystyr ag ef er mwyn cyfieithu'r Lladin *substantia*. Cymerer y dernyn a ganlyn o'r *Elucidarium* :

Pob gallu y sydd dda ; a'r drwg, nid oes allu iddo ; wrth hynny nid dim yw drwg . . .

a gosoder ef wrth ymyl y darn hwn o *Cysegrlan Fuchedd* :

Sef yw dim, absen a gwrthwyneb i bob rhyw *beth*, ac am hynny oddieithr (=tu allan i) cylch pob rhyw beth y mae, a chydag ef y mae pechod ; canys un rhyw yw pechod â dim . . .

Gellir troi'r ddau ddarn i dermau heddiw drwy ddweud : y mae sylwedd yn ddaioni ; nid sylwedd gwirioneddol yw'r drwg, eithr dim (*nihil*) ydyw, absen a gwrthwyneb i sylwedd. Ein termau ni heddiw am *beth* a *gallu* yw sylwedd neu realiti neu Fod.

Gwelir felly fod ym mrawddeg agoriadol Einion Offeiriad, " rhaid yw gwybod pa bethau y dylyer prydu iddynt ", dri gosodiad pwysig.

Yn gyntaf, â phethau y mae a wnelo barddoniaeth. Sylweddau yw ei mater hi. Cyfiawnhad athronyddol crefft y bardd yw ei bod yn ymwneud â realiti.

Yn ail, y da yw mater barddoniaeth, canys y da'n unig sy'n beth. " Un rhyw yw pechod â dim ", a'r tu allan i gylch sylwedd y mae. Nid peth yn bod yn wirioneddol ydyw, ond diffyg a gwrthwyneb i sylwedd, gwrthgiliad oddi wrth y da a lleihad mewn bodolaeth. Gan hynny, os sylwedd yw priod fater barddoniaeth, ac os ei ddarlunio gerbron dynion yw ei swydd hi, ni all cerdd dafod fod yn ddim llai na moliant, canys moliant yw disgrifio natur y daioni sydd mewn peth, disgrifio yn wir hanfod a phriodoledd y peth.

" Ni phryda neb i'r drwg " ebr y gramadeg, a gwa-
herddir i'r prydydd ogan neu ddychan. Ar yr olwg
gyntaf, a phan gofier am bwysigrwydd dychan ym
marddoniaeth Ewrop erioed, ymddengys hyn yn rhyfedd.
Ond y mae'n codi'n anorfod o'r athroniaeth uchod.
Bydd yn rhaid wrth fetaffiseg gwbl wahanol cyn y
gellir cael lle i ganu dychan yn y gyfundrefn (er, bid
sicr, nad arhosodd y beirdd am hynny). Canys os
lleihad mewn sylwedd yw pob drwg, ac os ymwneud â
sylwedd yw unig gyfiawnhad cerdd dafod, yna ni all
prydyddiaeth fod yn llai nac yn amgen na moliant i'r
da yn ei burdeb cyfan digymysg. Felly'n unig y ceidw
hi ei hawl a'i difrifwch.

Ond y da pur, digymysg, pa le y ceir ? Nid yn y byd
hwn fel y mae, canys cymysg yn wir yw'r byd. " Canu
i'r byd " yw canu i rywbeth a ymwadodd i raddau
helaeth â'r da ac a wrthgiliodd felly oddi wrth y fodolaeth
angerddol a roesai'r Crewr iddo cyn dyfod pechod i'w
lleihau. Yma geilw Einion Offeiriad ar ei ddysgeid-
iaeth athronyddol i'w arwain. Magwyd ef, fel y dywed-
wyd eisoes, yn nhraddodiad Platoniaeth Gristnogol, yr
unig ysgol athronyddol ag iddi hanes hir a mawredd
yng Nghymru. Gwelsom ei bath hi ar *Lyfr Ancr
Llanddewibrefi*. Ym mhrifysgol Paris disodlwyd hi yn
y drydedd ganrif ar ddeg gan Aristoteliaeth, ond par-
haodd mewn ffurf fwy cymedrol yn Rhydychen, a diau,
megis yr awgrymwyd, ei pharhau yn ei phurdeb eithafol
yn ysgolion y Sistersiaid Cymreig drwy gydol y bed-
waredd ganrif ar ddeg. Yr oedd iddi ddwy ffynhonnell
arbennig, sef dysgeidiaeth Awstin Sant a gweithiau
Denis, neu Ddionysius, a drowyd i Ladin gan Iohannes
Scotus Erigena yn y nawfed ganrif. Gellir canfod
effaith y ddau ddysgawdwr hyn yn esboniad Einion ar
sylwedd.

Yn ôl Awstin, Duw ei hun yw'r Bod pennaf a'r Da cyflawn : Ef yw pob sylwedd. Dyna egwyddor sylfaenol y fetaffiseg Awstinaidd. Pob bod arall, creadigaeth Duw ydyw, neu chwedl Einion Offeiriad, " Duw a folir achos ei fod yn greawdwr hollgyfoethog ac yn dad ysbrydol i bob creadur "

Gellir rhannu'r bodau creedig yn ddwy ran, nid angen, chwedl Einion eto, " peth ysbrydol a pheth corfforol ". Dyna ddull Einion o aralleirio adnod cyntaf y Beibl. Dehongliad Awstin o'r gair " nefoedd " yn yr adnod honno yw mai " peth ysbrydol megis yr angylion " a olygir, sy'n sylweddau dinewid y tu allan i drefn amser. Tra gwahanol yw'r " ddaear " neu'r " pethau corfforol ". Y mae i'r pethau hyn ddau fath o fodolaeth, y naill yn dilyn y llall, yn dilyn (hynny yw) nid yn nhrefn amser, canys nid oes trefn amser i waith creadigol Duw, ond yn dilyn yn nhrefn achos ac effaith. Y maent yn bod, bid sicr, mewn amser a lle megis y gwyddom ni amdanynt. Ond cyn bod ohonynt felly, rhaid yw eu bod a'u cynnal a'u parhau'n dragywydd ym meddwl Duw ei hunan, sef yn yr Ideâu dwyfol. " Platon yn gyntaf ", ebr Awstin, " a roes yr enw Idea ar y wedd hon ar fodolaeth. Yn Lladin gallwn gyfieithu Ideâu yn Ffurfiau (*formae*) neu'n *species*. Yr Ideâu hyn yw prif ffurfiau neu hanfodion sefydlog a dinewid pethau, ac nis ffurfir hwynt, ond y maent yn dragywydd yn parhau yn yr un cyflwr, ac yn y meddwl dwyfol y cynhelir hwynt " (Awstin : *De Diversis Quaestionibus*, Migne, 83).

Ceisiwn ddeall hyn. Cyn y gall pensaer lunio tŷ o goed, rhaid ei fod yn gyntaf wedi gweld ac wedi llunio'r tŷ yn gyfan yn ei feddwl ei hun, a chopi o'r tŷ hwnnw yn ei feddwl ef yw'r tŷ coed a'i dilyna ; a hyd yn oed wedi cwblhau'r tŷ coed fe erys y tŷ di-goed yn gyfan o hyd ym meddwl y pensaer. Felly y mae'r Ideâu yn bod ym meddwl Duw, a chopi o'u bodolaeth hwy yw pob bodolaeth mewn mater. A chan mai ym meddwl Duw y mae bodolaeth gyntaf pob rhyw beth, y mae iddynt felly, yn eu cyflwr ideal, rinweddau dwyfol ; y maent yn dragywydd, yn ddinewid ac yn bur a syml. Gan hynny, geill meddwl rhesymol eu hamgyffred, ac y maent yn wrthrychau gwybodaeth wirioneddol ac yn destunau cymwys i farddoniaeth. Ni raid egluro yma pa fodd, yn ôl yr athronwyr Awstinaidd, y deuai dynion o hyd i'w gwybodaeth o'r Ideâu. Bu'r pwnc yn un o broblemau cyndyn a dyrys y ddeuddegfed ganrif a'r drydedd ar ddeg. Ond gwiw yw sylwi bod Awstin ei hun yn gwrthod damcaniaeth Platon mai cofio'r Ideâu yn ddigyfrwng a wna dyn, a deil ef fod i ganfyddiad drwy'r synhwyrau yn y byd materol ran yn y gwybod hwn. Felly'n unig y gallasai'r athrawiaeth Awstinaidd fod yn sail i gerdd a gymerai'r unigolyn yn fan cychwyn, ond a ymroddai er hynny i ddisgrifio, nid yr unigolyn, eithr y cyffredinol.

Patrymau cyffredinol yw'r Ideâu, a chanddynt fod-olaeth sylweddol. Nid y pethau unigol, ffenomenau'r byd hwn, yw'r sylweddau uchaf ; copïau ydynt hwy. Bid sicr, y mae dynion yn bod, ond rhaid bod Dyn er mwyn bod dynion, a'r disgrifiad gorau o Ieuan neu Phylip yw dangos yn gyntaf mai i'r *genus* dyn ac i'r *species* uchelwr y perthyn ef, ac yna enwi priodoleddau cynhenid y dosbarth hwnnw fel y lluniwyd ef yn y meddwl a'i gwnaeth. Dysgeidiaeth Einion Offeiriad yw mai *sub specie aeternitatis* y dylid disgrifio neu foli pob dim mewn barddoniaeth : " uchelwr a folir o'i ddewredd a'i gadernid a'i filwriaeth a'i bryd a'i fonedd a'i add-fwyndra a'i haelioni a'i ddigrifwch a'i ddoethineb a'i gymhendod a'i wrdäaeth, . . . " Nid ystyr hynny yw bod Einion yn cynghori'r beirdd, fel y dysgwyd mor ddiniwed gynt, i wenieithio i uchelwyr, ond fe'u dysg

hwynt i ganu'n athronyddol, nid i'r unigolyn eithr i'r
patrwm a'r idea dragywydd o uchelwr perffaith sy'n bod
yn sylweddol ym meddwl y Crewr ac yn bod hefyd yng
nghrynswth yr unigolion sy'n uchelwyr. Y cyffredinol
yn hytrach na'r unigol yw testun cywydd ac awdl.
pa unigolyn bynnag a ddigwyddo fod yn achlysur y
gerdd. Canys yn ôl y traddodiad Platonaidd yr oedd
y cyffredinol yn sylwedd di-lwgr a digymysg. Yr oedd
yn beth, yn *res.*

Y mae trydydd gosodiad yn natganiad Einion am y
" pethau y dylyer prydu iddynt ", sef nad unigol, eithr
lluosog yw sylwedd. Nid i " beth " ond i " bethau "
y prydir. Rhoddwyd pwys hyd yn hyn ar ddyled
Einion i Blatoniaeth Awstinaidd. Ond yn ei ymdrini-
iaeth â " phethau " gwelir dau ddylanwad arall arno,
sef rhesymeg Aristoteles a llyfrau Denis y cyfeiriwyd
atynt eisoes. Yn y ddau gopi cynharaf o'r *Gramadeg*
ymdeifl yr awdur ar unwaith, wedi iddo agor y bennod
hon, i Raniad Rhesymegol ar y syniad o sylwedd.

Mewn rhesymeg, Rhaniad yw'r method a ddilynir
pan gymerer rhyw un prif fath neu ddosbarth cyffredinol,
a elwir yn *summum genus*, a'i rannu'n ei ffurfiau isradd
a phriod, sef y *species*. Gellir dilyn y Rhaniad yn ei
flaen o radd i radd nes dod at y *species* hynny na ellir
eu rhannu ymhellach, a gelwir y rheini yn *infimae
species*, sef y ffurfiau isaf. Ceir rhaniad felly gan
Einion. Dechreua gyda'r gwrthrych cyffredinol, "peth",
a rhanna ef o gam i gam : " Peth ysbrydol nefol a pheth
corfforol bydol, megis dyn neu lwdn neu gyfle . . .
Dau ryw ddyn a folir, gŵr a gwraig . . . Dau ryw ŵr a
folir, ysgolhaig a lleyg . . . Dau ryw ysgolhaig a folir . . . ",
ac felly i'r pen. Ar y tudalen nesaf rhoddir cynllun yn
null y llyfrau rhesymeg ar raniad Einion, gan ddilyn y
rhestr sydd yn llawysgrif Peniarth 20.

RHANIAD EINION AR "BETH".

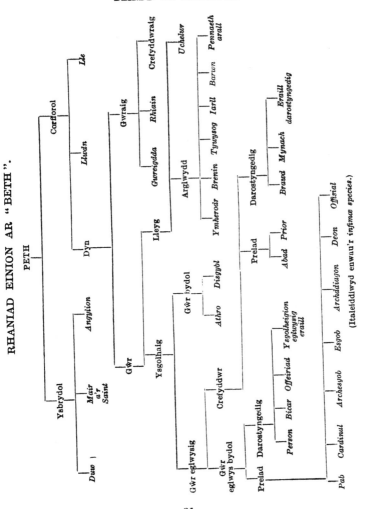

PETH

Ysbrydol — Corfforol

Duw | — Mair a'r Saint — Angylion — Llwdn — Lle

Dyn — Gwraig — Gwreigdda — Rhiain — Crefyddwraig — Uchelwr — Pennaeth arall

Gŵr — Lleyg — Arglwydd — Ymherodr — Brenin — Tywysog — Iarll — Barwn

Ysgolhaig — Gŵr bydol — Athro — Disgybl

Crefyddwr — Ysgolheigion eglwysig eraill

Darostyngedig — Brawd — Mynach — Eraill darostyngedig

Prelad — Abad — Prior

Gŵr eglwysig — Gŵr eglwys bydol

Prelad — Darostyngedig — Person — Bicar — Offeiriad

Pab — Cardinal — Archesgob — Esgob — Archddiagon — Deon — Offisial

(Italeiddiwyd enwau'r infimæ species.)

61

Os creffir ar y rhaniad hwn fe welir mai diwinyddol yw egwyddor y rhaniad (*fundamentum divisionis*) gan Einion. Hynny a esbonia fanyldeb y rhaniadau clerigol o'u cymharu â'r lleyg ; hynny a eglura paham na rennir na llwdn na lle ; eglura hefyd y tri rhaniad ar wraig, gan mai sagrafen eglwysig sy'n gwahanu rhwng rhiain a gwraig briod a chrefyddwraig. Ni wyddys eto pa esiamplau a fu gan Einion i'w gyfarwyddo yn ei raniad, ond y mae ffynhonnell ei waith yn ddigon clir. Yng nghyfieithiad Erigena bu llyfrau Denis, ac yn arbennig y *Caelestis Hierarchia* (Y Graddau Nefol) a'r *Ecclesiastica* (Y Graddau Eglwysig), yn ddifesur eu dylanwad drwy Ewrop yn yr Oesoedd Canol. Mathau a graddau'r angylion a ddisgrifir yn y llyfr cyntaf, a deil Denis fod pob gradd o angel yn ei thro yn trosglwyddo'i goleuni yn union i'r radd nesaf ati. Yn yr ail lyfr rhannwyd yr Eglwys yn dair gradd yr eglwys athrawiaethol, sef preladiaid, offeiriaid, diaconiaid, a thair gradd yr eglwys ddisgyblaidd, sef mynaich, plwyfolion, dychweledigion, a dengys fod yr eglwys hon yn ei threfniad graddedig yn ddrych o'r gymdeithas nefol. Datblygiad llawer diweddarach ar y meddwl hwn yw rhaniad Einion ar " Beth ". Iddo ef cyfundrefn ddiwinyddol yw'r byd-ysawd, ac y mae pob *species* yn rhan o drefn natur ac yn ddinewid yn sistem y cread.

Ond er mor Blatonaidd yw ei feddwl ac er credu ohono yng ngwir fodolaeth y *genera*, eto pwysig yw sylwi mai Aristotelaidd yw ei fethod yn y rhan hanfodol hon o'i waith. Ebr Aristoteles mewn paragraff sy'n gwyro oddi wrth ddysg Platon :

Pe mynnai neb egluro pa beth ydyw unrhyw brif sylwedd (i.e. unigolyn) byddai ei esboniad yn llawnach ac yn gweddu'n well i'r testun o enwi ei *species* nag o enwi'r *genus*. Wrth egluro natur rhyw bren arbennig, rhoddid gwell eglurhad wrth enwi'r *species*, sef " Pren ", nag wrth enwi'r *genus* " Planhigyn " . . .

Dilyn Einion y cyngor hwn. Ni ddywed ef wrth y beirdd sut y dylid moli'r *genera*, megis ysgolhaig a gŵr eglwysig, ond fe ddywed yn fanwl pa fodd y dylid disgrifio'r *infimae species*, megis pab ac esgob a brenin ac uchelwr a rhiain yn gystal â Duw a Mair a'r saint.

Y mae'n bwysig inni ddeall cyfraniad Einion i athraw- iaeth cerdd dafod. Fe welir oddi wrth y dadansoddiad uchod ei fod ef yn gyntaf oll drwy ei ddysgeidiaeth wedi cadw a diogelu hanfod y traddodiad llenyddol Cymraeg. Y delfrydol, yr idea bur, fuasai testun ein prydyddion o'r cychwyn cyntaf yn Nhaliesin. O oes Taliesin hyd at oes Einion prif fater barddoniaeth oedd y llywodraeth Gymreig berffaith, y brenin delfrydol neu'r tywysog delfrydol. Trwythwyd y canu hwn mewn Platoniaeth Gristnogol a hynny'n syml oblegid mai'r ddysg honno a ffurfiai hinsawdd feddyliol y cyfnod ac na allai barddoniaeth " ddysgedig " ddianc rhagddi.

Diogelodd Einion barhad y traddodiad hwnnw ac ysbryd oesol cerdd dafod Gymraeg. Gwnaeth fwy na hynny. Ystwythodd ei gyfundrefn resymegol i gyfarfod â gofyn arbennig y beirdd yng Nghymru. Os creffir unwaith eto ar ei raniad ef ar sylwedd fe welir nad yw'r rhaniad ar leyg, sef arglwydd ac uchelwr, yn gwbl foddhaol. Perthyn y dosbarth Arglwydd i'r sistem gyfandirol a ffiwdal ; perthyn uchelwr i'r drefn dylwythol Gymreig. Gallai'r ddau groesi ei gilydd. Ond myn Einion gael yr uchelwr i'w gyfundrefn a rhydd ddis- grifiad manwl o'i briodoleddau ef a'r wreigdda, yn union oblegid mai hwynt-hwy yn ei ddydd ef a gynhaliai'r traddodiad Cymreig mewn llywodraeth, canolbwynt y canu Cymraeg. Ac yr oedd ei weledigaeth yn ehangach hefyd na hynny, yn eang ac yn fawrfrydig. Mynnai fod barddoniaeth nid yn unig yn simbol o'r llywodraeth ddelfrydol, ond yn ddarlun o'r gymdeithas unedig berffaith, y cread cyfan a holl gyfundrefn bod. Swydd barddoniaeth yn ei ddysg ef oedd darlunio ceinder trefn meddyliau Duw, holl *infimae species* y rheswm creadigol. Yr oedd yno le i lwdn a chyfle, y cywydd gofyn march a'r cywydd *Anfon yr Haul i Annerch Morgannwg*; canys ym myd barddoniaeth fe lamai'r march sidanflew yn dragywydd dros ddrain Llan Eurgain ac yno gor-weddai dyffryn Nedd am byth yn ddilwch lân. Ond yn arbenicaf, fel y dengys ei raniad, byd personau a chymdeithas oedd byd barddoniaeth, a gwelai Einon y cerddor Cymraeg yn rhodio dros fryniau ei wlad ac yn dwyn o abaty i ddeondy ac o neuadd iarll i neuadd uchelwr ganeuon a weddnewidiai eu byrddau a'u hael-wydydd, a'u datguddio iddynt fel y credid eu gweld hwynt gyntaf gan y Cynlluniwr ei hun pan welodd eu bod yn dda. Nid isel yw lle Einion ymysg yr athronwyr Platonaidd a ymroes i lenyddiaeth.

Pa fodd y derbyniwyd y ddysgeidiaeth hon gan y beirdd? Dangosodd Mr. G. J. Williams mai *Gramadeg* Einion a fu'n sail holl ramadegau'r penceirddiaid yn y ddwy ganrif ar ei ôl (B.B.C.S., IV, 207). Y mae'n sicr hefyd mai dysg Einion am natur a swydd cerdd dafod a ddaeth yn athrawiaeth ysgolion y beirdd yn y bym-thegfed ganrif ac felly yn sylfaen y canu clasurol Cymraeg. Cawn ddangos eto'r rhan arbennig a gymerth Gruffudd Llwyd, bardd a ffynnai yn niwedd y bedwaredd ganrif ar ddeg a chwarter cyntaf y bymthegfed, yn sefydlu'n derfynol athroniaeth Einion. Ond un peth yw dal syniad am swydd a gorchwyl cerdd, peth arall yw cyfieithu'r ddamcaniaeth yn ymarferol i awdlau a chywyddau. Gwelsom na olygai dysgeidiaeth Einion

unrhyw chwyldro yn arddull nac yn nhestunau'r beirdd ;
golygai'n hytrach ddatblygiad arnynt. Yn raddol, gan
hynny, fel y gellid disgwyl, y treiddiodd ei ddylanwad.
Cawn weled hefyd na bu ei athrawiaeth heb gystadleu-
wyr na heb wrthnebwyr, ac am hynny ni eill hi *mewn
unrhyw gyfnod* roi cyfrif am natur y cwbl o'n barddon-
iaeth. Serch hynny, derbyniwyd hi'n sylfaen dysg yr
ysgolion barddol hyd at y Dadeni, gweithiwyd arni a
datblygwyd hi a rhoes ei bath yn eglur iawn ar ran
helaethaf gwaith pob cenhedlaeth o feirdd o oes Gruffudd
Llwyd hyd at oes Gruffudd Hiraethog.

Ac yn y bedwaredd ganrif ar ddeg ei hunan fe amlyg-
wyd yn glir un nodwedd yng nghymeriad y canu a
symbylwyd gan Einion. Gwnaethpwyd " uchelwriaeth "
yn destun arbennig cerdd dafod. Ceir yr enw yn fynych
mewn awdl a chywydd. A gras priodol uchelwriaeth
oedd " perchentyaeth ". Sgrifennodd Owen Edwards
lyfr swynol ar *Gartrefi Cymru* ; a wyddai ef y buasai
hynny'n deitl cymwys ar unrhyw gasgliad gwir nodwedd-
iadol o waith ysgolion y beirdd Cymraeg ? Gwelsom
gychwyn y peth yn Nhaliesin. Llys y brenin oedd
rhan bwysig o'i ddefnydd ef. Tyfodd yn bendantach
yng nghanu beirdd y tywysogion. Daeth i'w gyflawn-
der ym meirdd yr uchelwyr. Diau bod natur grwydrol
bywyd y clerwyr yn symbyliad iddo ; yn eu teithiau
hwy daeth cartrefi a chroeso gwreigdda ac uchelwr yn
angorfeydd bywyd. Ac yn ychwanegol at ddysgeidiaeth
Einion yr oedd pwysigrwydd newydd yr uchelwyr, y
cyfeiriwyd ato eisoes, a'r ffaith mai eu cartrefi hwy
bellach oedd " llys " Cymru, yn peri'n naturiol fod celf-
yddyd " perchentyaeth " yn fater cerdd dafod.

Efallai mai cywydd Iolo Goch i Sycharth, hendref
Owain Glyndŵr, yw'r enwocaf o'r cywyddau cartrefi
yn y ganrif. Cywydd heulog iawn ydyw, ond gan ei

fod mor hysbys, ni raid inni ond ei enwi. Llai hysbys
a llawn cystal yw cywydd yr un bardd i dŷ Ieuan,
esgob Llanelwy. Dechrau gan gyfarch preswylwyr y
tŷ, yr offeiriaid cynhorthwy, yr ysweiniaid ifainc prentis-
aidd, y siambrlen,

> A'r pen cog, darpan y cad,
> a'r drysawr, da ei drwsiad,
> a'r pantler a'r bwtler bach,—
> f'enaid, a fu ddyn fwynach ?
> Pobydd, cyrfydd, trydydd tro,
> catrer,—poed Duw a'i catwo,—
> a'r gŵr a ran ebrangeirch
> a'r gwair mân i'r gwŷr a'r meirch.

Onid yw'r rhestr yn canu ? Gwahoddwyd Iolo i fwrw
gaeaf yn westai gyda'r esgob, sef y tymor o'r flwyddyn
y byddai prelad, megis pob gweithiwr arall yn yr oes
honno, yn cadw tŷ ac yn ysgafnaf ei lafur. Disgrifia'r
bardd ddiwrnod yn yr " enwog gartref ", rhodia yn y
cwrt gyda'r bore bach a chyferfydd â'r esgob yno a
chaiff ei groesi gan ei ddeufys a'i fendith. Mynd wedyn
i'w ganlyn i'r eglwys ac i'r offeren fawr, " a hynny ar
gân ", nid yr offeren fach blygeiniol. Yna, wedi darfod
dyletswyddau'r cyfnod cythlwng,—

> Ar yr offeren, yr awn
> i'r neuadd, gydladd goedlawn,
> peri fy rhoddi ar radd
> iawn a wnâi yn y neuadd
> i eistedd fry, ar osteg,
> ar y ford dâl, arfer teg ;
> anrheg ar anrheg unrhyw   (anrheg=saig)
> a ddôi i'r arglwydd, Nudd yw,
> diod am ddiod a ddaw
> o'i winllan im o'i wenllaw,

66

cerdd dafod ffraeth hiraethlawn,
cerdd dant, gogoniant a gawn,
cytgerdd ddiddan, lân, lonydd,
pibau, dawns, a gawn pob dydd . . .
Rhydd yw pob lle yn rhoddi
ystafell, meddgell i mi,
cegin, pantri, bwtri, bwyd
pan fynnwyf, pan fo annwyd
tân mawn a gawn neu gynnud,
ni bydd yno'r morlo mud . . . . . .

ac wedi gorffen y dydd perffaith,

cysgu ar blu neu bliant
a llennau, cylchedau, cant,
ymysg, o gwrlidau, mil,
a'r porffor drud a'r pwrffil.

Peth anodd i ni heddiw yw gwneud barddoniaeth o
ddeunydd hapusrwydd beunyddiol trefnus. Tuedd a
berthyn i ysbryd clasurol ydyw :—

Ac ni bu dwthwn fel y dwthwn hwn.

Y perffeithrwydd hwn yw mater priodol "cerdd
dafod hiraethlawn" Blatonaidd, ac erys cywydd Iolo
yn ddarlun o brelad Cymreig yn ôl cynllun ideal Einion
Offeiriad.

Gellid dyfynnu darnau lawer o gywyddau ac awdlau
ail hanner y bedwaredd ganrif ar ddeg sy'n gyffelyb
eu hanian i'r cywydd uchod, ond rhaid bodloni ar un
enghraifft arall. Yn nherfyn eithaf y ganrif canodd
Rhys Goch Eryri i gartref Gwilym ap Gruffudd o'r
Penrhyn (I.G.E., 299). Tŷ uchelwr a ddisgrifir yma
a'r hyn a ddyd arbenigrwydd ar y cywydd yw ymwybod

Rhys Goch o Gymreigrwydd delfrydau perchentyaeth
a'i syniad ef am natur lawen pensaernïaeth Gymreig.
Canys yn agos at dŷ Gwilym ar draeth Arfon codasid
llys arall, a hwnnw o garreg lwyd, drist

> a luniwyd dan ei linyn,
> gyrch dig, i gael gwarchae dyn
> ac i ostwng ag ystyr
> galonnau a gwarrau gwŷr.

Gwêl y bardd yn lliw trist y Gaer yn Arfon arwydd
priodol o'i hamcan a'i swydd yng Nghymru, a diau mai
llwyrach ehangiad ar ormes estron a welai ef pe gallasai
ddychwelyd yn awr i'w wlad ac edrych ar liw pentrefi
diwydiannol ei chymoedd hi. Ond try Rhys Goch oddi
wrth dŵr y concwerwr :

> Llwyr y mae gwell o bell byd
> llys wenfalch, lliaws winfyd,
> Gwilym,—nid balch gwalch y gwŷr,—
> euraid, na Thŵr yr Eryr.

a dengys mai lliwus, gwyn a llathraidd yw traddodiad
pensaernïaeth Gymreig :

> Y mae gyferbyn â Môn
> gaer dderw a byrth gerddorion,
> a thŷ o waith, pen rhaith parch,
> golau, unlliw ag alarch . . .
> a bair llawenydd bob awr
> ac urddas pob rhyw gerddawr,

ac nid yw'r sirioldeb lliw oddi allan namyn arwydd o'r
digrifwch bywyd oddi mewn yn yr ystafell :

Yno yr uchel welir
nifer doeth a nef ar dir,
pob bwrdd gwiw o'r oliwydd,
parth i'n rhaid pob porth yn rhydd,
pob rhyw anrheg o gegin,
pob gwaith ar fyrddau, pob gwin,
pob gwir anrhydedd, pob gwawd,
pob gwarae dawns, pob gwirawd,
pob gwledd, pob cyfanheddrwydd,
pob gyfryw gost, pob rhost rhwydd,
pob llwyr hoedl, pob lliw rhadlawn,
pob hwyl llys, pob bual llawn,
pob gras, pawb a gâr Iesu
yn y llys yna a'i llu . . .

Darlun o wareiddiad Cristnogol, Cymreig wedi ei
ledaenu dros fyrdd o aelwydydd glân, dyna yw'r fardd-
oniaeth yr ymroes disgyblion Einion Offeiriad i'w chreu.

Dafydd Ap Gwilym

YNA, mewn sialens i'r moliant hwn i fywyd neuadd ac ystafell, cododd llais arall gan haeru,

Gwell yw ystafell, *os tyf*.

Dafydd ap Gwilym biau'r llinell. Ef yw'r enwocaf o feirdd Cymraeg yr oesoedd canol. Amdano ef yr ysgrifennwyd fwyaf. Heb ddysg yn hanes nac yn athroniaeth ei gyfnod gellir mwynhau swrn o'i gywyddau ef, ac oblegid hynny bu iddo edmygwyr hyd yn oed yn y bedwaredd ganrif ar bymtheg. Gwewyd hefyd chwedlau a choelion amdano a thywyllwyd gwybodaeth yn ei gylch drwy ffugiadau Iolo Morganwg a rhag-ymadrodd argraffiad 1789 o'i weithiau. Yn y ganrif hon dechreuwyd ar ymchwil ysgolheigaidd ym mhroblemau'i fywyd a'i waith. Cyfrannodd llawer yn fuddiol tuag at wybodaeth lwyrach, ond y mae pedwar y dylid eu henwi'n arbennig, sef Stern a roes gychwyn i ymchwil ar y llwybr iawn, Ifor Williams, a roes inni ei destun o'r *Detholion* gyda rhagymadrodd yn 1914 (ail arg. 1921), G. J. Williams a setlodd un pwynt yn derfynol yn *Iolo Morganwg a Chywyddau'r Ychwanegiad* (1926), ac yn ddiwethaf Theodor Chotzen, awdur *Recherches sur la poésie de Dafydd ap Gwilym* (Amsterdam, 1927), gwaith llafurus a thrwyadl sydd, er gwaethaf nifer o fân bethau anghywir a rhai pethau pwysig sy'n anghywir, eto'n un o'r cyfraniadau cyfoethocaf i efrydiau llenyddol Cymreig diweddar.

Ond ni orffennodd yr ysgolheigion eu llafur yn y maes hwn. Ni chyhoeddwyd eto gasgliad sicr o weithiau

Dafydd ap Gwilym, ac nid tasg ysgafn fydd hynny. Erys hefyd lu o broblemau ynglŷn ag ef na eill ond ymchwil fanwl ac amyneddgar a ffortunus eu setlo. Enghraifft o'r cyfryw broblemau yw datblygiad y cywydd deuair hirion. Y cwbl sy'n weddol sicr yw mai rhwng 1322 a 1340 y rhoddwyd i'r mesur hwn y ffurf sydd arno'n gyffredin yng ngwaith Dafydd ap Gwilym a'i gyfoeswyr. Nid oes ond rhesymau rhy frau dros honni'n bendant mai Dafydd biau ei lunio yn y ffurf honno, er bod yn gwbl eglur mai ef a enillodd iddo ei flaenoriaeth ymhlith mesurau cerdd dafod.

Yr oedd cyfnod Einion Offeiriad yn chwannog i ddyfeisio mesurau newydd megis y gwelsom ei fod yn frwdfrydig dros helaethu testunau cerdd. Y mae'r ddau beth, ffurf a mater, gan amlaf ac yn naturiol, yn tyfu a newid gyda'i gilydd. Os creffir ar awdlau hanner cyntaf y bedwaredd ganrif ar ddeg, fe welir nid yn unig fod rhieingerddi'r Gogynfeirdd (a benthyg teitl monograff da yr Athro T. Gwynn Jones) ar gynnydd mawr, ond gyda hynny fod arddull yr awdlau yn newid yn gyflym. Cyll y beirdd eu diddordeb yn nhechneg y llinell neu'r pennill unigol a cheir ganddynt fwy o rediad, o baragraffau, o draethganu. Yn arbennig y mae mynd anghyffredin yn yr amser hwn ar englynion proest a genid mewn cyfresi o linellau saith sillaf, a dyma'r adeg yn union y dechreuwyd canu penillion proest chwe llinell yn hytrach na phedair fel cynt. Fel y gellid disgwyl, beirdd y rhieingerddi sydd ar y blaen gyda'r canu proest, ac nid hap a esbonia mor debyg i ddefnydd ac iaith unrhyw gywydd cynnar yw'r englynion proest hyn gan Ruffudd ap Dafydd :

Yn ôl Addaf, naf nwyfradd,
Cyn cyfraith Pab na'i drabludd,

> y gorug pawb ei garedd
> a'i gares yn ddigerydd,
> digerydd fydd rhydd rhwyddgael,
> da y gwnaeth Mai dai o'r dail,
> deuoed dan goed i dan goel,
> i minnau, fi a'm annwyl.

Dywed yr Athro Ifor Williams, "Anodd peidio â chysylltu'r Cywydd Deuair Hirion â'r Traethodl", sef mesur arall y canodd Dafydd ap Gwilym ac eraill yn ei ganrif arno, mesur o gwpledau yn odli a saith sillaf ym mhob llinell. Ceir yn y *Myvyrian Archaeology* (ail arg. tud. 134) gân ar y mesur hwn dan y teitl, *Ymddiddan y Saint a Chybi*. Ni all y gân fod yn gynharach na'r bedwaredd ganrif ar ddeg, a defnyddia hithau hefyd yr englyn enwog o Ramadeg y *Llyfr Coch* :

> Nac ofnwch fôr heli
> mwy no'r fwyalch ynghelli,
> nid ardd, nid erddir iddi,
> nid llawenach neb na hi.

Gellir honni'n hyderus iawn bellach nad benthyg o Ffrangeg na Gwyddeleg yw'r mesur cywydd, ond datblygiad hollol Gymreig. Mewn cyfnod o arbrofion a dyfeisiadau cafwyd mai hwn oedd y mesur hwylusaf i amcanion newydd, cynganeddwyd ef, ac yna daeth athrylith Dafydd ap Gwilym i sicrhau ei boblogrwydd a'i barhad.

Eglur yw nad oedd yr uchelwyr oll o'r un ysbryd â'r rhai a ddisgrifiwyd yn y bennod o'r blaen. Blinai llawer ohonynt ar hualau'r canu dysgedig a swyddogol. Os caeodd Einion Offeiriad ddychan allan o fyd barddoniaeth, agorodd Madog Dwygraig y drws iddi led y pen, a throes ef arddull y penceirddiaid yn gyfrwng serthedd

72

o egni a digrifwch a gormodaeth sy'n union yn yr un
ysbryd â'r cerfiadau anferth a geir ar golofnau eglwys
Vezelay neu ar dalcen Llan Fair yn Dijon. Er mwyn
deall traddodiad dychan Gymraeg yn yr Oesoedd Canol
ni ellir cael dehonglydd gwell na cherfiadau gargoil
eglwysi Gothig. Efallai mai honno yw'r gyffelybiaeth
sy gan Siôn Cent yn y llinellau a ganlyn, ond wrth gwrs
gallai *delw* yn ei gyfnod ef olygu paentiad yn gystal â
naddiad :

> Dychanu . . . . . .
> arglwydd neu frenin eurglod,—
> costog yw, cest ac ewin,
> ciniog a chrestog a chrin,
> *ni bu ddelw mewn byw ddolef*
> neu gi a fai waeth nag ef.

Ond nid dychan yn unig a groesewid yn neuaddau'r
boneddigion Cymreig. Cwyna Iorwerth Beli fod esgob
Bangor yn esgeuluso beirdd ac yn mawrhau telynorion,
ac ychwanega ei fod yn rhoi ffafrau arbennig i un

> Am wybod Saesneg, Seisnigdon ddrygwas.

Gwahanol iawn, ebr Iorwerth, oedd yr hen draddodiad
ymhlith pendefigion gwlad y Brython ac nid felly y bu
yn amser Cynddelw na Dafydd Benfras. Protest yw
ei awdl gan fardd a welai amharchu hen draddodiadau,
a'i gerdd ddysgedig ei hun yn gorfod cilio o flaen pethau
newydd ac ysgeifn.

Rhan werthfawr o waith Dr. Chotzen yw ei astudiaeth
drylwyr ef o'r cyfleusterau a gawsai'r uchelwyr Cymreig
i ymgynefino â mathau estron o ganu. Yn briodol
iawn dyd ef bwyslais ar grwydriadau'r milwyr tâl Cym-
reig (*les mercenaires gallois*) ym myddinoedd cymysg y tri
brenin Edward yn Ffrainc, Fflandrys a Sgotland o 1296
hyd at frwydr Poitiers yn 1356. Bu nifer o foneddigion

Cymreig drwy'r un cyfnod yn ymgynnig hefyd yn
gapteniaid a milwyr cyflog dan amryw arweinwyr ar y
cyfandir, ac o bryd i bryd dychwelent yn eu hôl i Gymru
i fwynhau seibiant ac i gasglu cwmni newydd o ddilyn-
wyr. Dengys Dr. Chotzen y manteision a gafodd yr
uchelwyr hyn i ymgydnabod â chaneuon poblogaidd
trefi a gwersylloedd milwyr a thefyrn gwin Fflandrys
a Gogledd Ffrainc a Lloegr. Naturiol oedd iddynt
ledaenu eu harchwaeth am y cyfryw ganu yng Nghymru
a'i annog ef yn eu neuaddau.

Ac eisoes yng Nghymru yr oedd y canu hwn yn curo
wrth eu drysau hwynt. " Ni wn i pa mor hen yw'r
enw clêr ", ebr John Morris-Jones, " ond yr oedd y
dosbarth yn bod bob amser " (*Cerdd Dafod*, tud. 310).
Hyd y gwyddom, ni cheir yr enw mewn llenyddiaeth
cyn terfyn y drydedd ganrif ar ddeg pan aeth y prydydd-
ion i glera. " Clerwr, croesan yw " ebr y copi yn
llawysgrif Peniarth 20 o ramadeg Einion Offeiriad.
Ond yr oedd bellach yn rhaid cael enw i wahanu rhyng-
ddo ef a'r clerwr o brydydd, a gelwir ef yn " glerwr
croesan " yn y gramadeg ac yn " glerwr ofer " mewn
lleoedd eraill. Yr oedd ei fywyd ef a'i ryddid yn ei
addasu i fod yn gyfrwng parod i fathau poblogaidd
o ganu ddyfod o Loegr i Gymru. Ceir yn *Llyfr Coch
Hergest* (col. 1358) awdl gan fardd o'r enw Iocyn Ddu
ab Ithel Grach sy'n ddisgrifiad byw a manwl a ffraeth
iawn a serth iawn a thra gwerthfawr o fywyd clerwr.
" Rhodiwr fydd clerwr ", ebr Iocyn a disgrifia ei
grwydro ef ei hunan o fan i fan yng Ngogledd Cymru.
Ond nid yn y wlad Gymreig yn unig y teithia :

> Myfyr yw gennyf, ciniewais yng Nghaer,
> fi a mab y maer, fyrdaer fwrdais,

yna rhydd ei hanes yn cerdded hyd at neuadd newydd
(parodi yn ôl pob tebyg ar y canu i uchelwyr)—

74

a'r ystiward llys, llysais ei arfer,
a'm rhoes gyda'r glêr a ddigerais,

ond ymddialodd yntau am ei groeso truan drwy dwyllo
gŵr y tŷ gyda'i wraig, a chyhoedda Iocyn mai ei
arfer ef oedd caru mewn llwyn :

Rhai a ordderchai a ordderchais . . .
Yn y marchwiail ydd adeiliais
ac yn y gwreiddiau y gwreiceais.

Dywed ei stori gyda hwyl a hyfdra anorchfygol a
gorffen gyda'r englyn haerllug :

Mae'r herlod ? Cyfod, cais—im f'ysgidiau,
ysgadan a brynais,
yfory 'dd af Lan Ferrais,
O Fair, pwy a bair im bais ?

Dyna'n wir ganu'r dafarn a'r gwersyll milwyr Cym-
reig a'r trefi cymysg, ac os yma y ceir y gair *bwrdais*
am y tro cyntaf yn yr hen lawysgrifau, yma hefyd y
ceir yr ymffrostio digywilydd mewn serthedd a chastiau
ynghyd â'r arddull *insouciant* sy'n arbennig nodwedd-
iadol o ganu'r trefi.

Yn ôl tystiolaeth y llawysgrifau canodd Dafydd ap
Gwilym amryw gywyddau ac englynion o gyffelyb anian
i awdl Iocyn Ddu, cerddi anllad ac amhrintiadwy.
Ni ellir, serch hynny, ddychmygu am ystiward llys yn
rhoi Dafydd i eistedd ar lawr ymhlith y glêr. Uchelwr
oedd Dafydd, magwyd ef yn fonheddig a dysgodd
gelfyddyd bendefigaidd. Ond nid un a ochelai drefi
oedd ef ychwaith ac nid ymwadodd â chwmni croesaniaid.
Mewn trefi y lleolir llawer cyfranc yn y cywyddau
ffraeth a edrydd ei helyntion yn ceisio torri i mewn i

dŷ Eiddig. Gŵr bwrdais hefyd yw ei Eiddig ef gan
amlaf, un yn cloi ei dŷ ac yn cuddio'i arian, yn ofni
lladron ac yn deffro'i gymdogion mewn dychryn pan
glywo gynnwrf yn y nos. Bu Dafydd yn ymwelydd
mynych yn " lletyau cyffredin " ac yn " nhefyrn gwin "
y trefi ac ymdaflai i ganol y cwmni cymysg o filwyr,
morwyr, porthmyn, marsiandwyr, clerwyr, telynorion,
mynaich, brodyr, ysgolheigion, teithwyr o fwy nag un
wlad ac o lawer dosbarth, gan gynnwys bwrdeiswragedd
gonest a thafodrydd megis honno a daflodd ei anrheg
ef o win am ben y gwas a'i dug iddi, a gwragedd eraill
llai gonest a dderbyniai ei aur a'i wahoddiadau i gydyfed
a chinio ac ychwaneg,—a'r rheini yn ddigon aml yw ei
Forfudd ef a'i Ddyddgu. Ac yn y bywyd hwnnw y
cafodd Dafydd a'i gyd-gywyddwyr ddefnyddiau a
phatrymau a chefndir i gywyddau a fodlonai i'r dim y
chwaeth a oedd ar gymaint cynnydd ymysg yr uchelwyr
Cymreig yn ail chwarter y ganrif.

Eithr er ymddarostwng o Ddafydd i ganu'n aml yn
iaith Iocyn Ddu, nid yn yr un ysbryd y cân y ddau.
Gwna Dafydd gyff gwawd ohono'i hun mewn amryw
gywyddau i Eiddig ac yn y cywydd a ddisgrifia ei
helynt pan aeth drwy amryfusedd i stafell tri Sais
mewn llety yn lle ystafell y ferch y rhoesai ef ginio iddi.
Ond rhan o ffraethineb y cywyddau hyn yw'r datguddiad
o'r lleoedd chwerthinllyd y dygir gŵr urddasol iddynt
drwy ddilyn ei serch. Da y dangosodd Dr. Chotzen
fod osgo Dafydd tuag at " ferched y gwledydd " a
merched y tefyrn yn ymostyngol. Nid rhianedd y canu
cwrtais ym Mhrofens yw'r rhain na merched llys
Gwynedd y canasai Hywel ab Owain ei awdlau iddynt.
Cawn weld eto ddarfod i'r awdlau hynny ddylanwadu
ar fathau eraill, Cymreiciach eu cefndir, ymhlith cywydd-
au Dafydd. Dan wenu'n unig y benthyg ef dermau
cwrteisi i gyfarch ei feistresi ysgafnfoes. Eithr yr hyn

sy'n ddigon amlycach yn ei gywyddau i gariadon y
trefi yw ei *cynicism* ef. Weithiau y mae hynny'n
gellweirus a difalais :

> Herwydd barn y tafarnwas,
> Hir y'm câr a hwyr y'm cas.

Yn aml y mae'n llawen ddihitio er gweld ohono eu
natur hwy :

> Os heibio rho', glo y glêr,
> gwas gwechdon, gwisgo gwychder,
> ni fyn Morfudd, ddeurudd dda,
> aelod main, weled mona'.

Adnebydd eu blys pennaf hwynt a chwardd amdano :

> Rhyfedd yw natur rhuddaur,
> maint yw bryd fy myd am aur.

Y mae hynny'n gwbl groes i'w agwedd bendefigaidd
ef ei hun tuag at arian :

> Ac ni ŵyr Fair, loywair lud,
> im wylaw deigr am olud.

Ond weithiau heb flewyn ar ei dafod fe draetha
Dafydd holl faint ei syrffed mewn llinellau heillt a
chiaidd, a hynny'n arbennig os digwydd i ryw Forfudd
frifo'i urddas a difrïo'i gymwynas ef :

> Treiglais, gweais yn gywir,
> defyrn gwin, Duw a farn gwir ;
> treiglais hefyd, bywyd bas,
> defyrn meddgyrn gormoddgas . . .
> treuliais fal ffôl fy ngolud
> i'r dafarn, fo'i barn y byd.

Perais o iawngais angerdd
prydu a chanu ei cherdd
i'r glêr hyd eithaf Ceri,
eiry mân hoen, er ei mwyn hi . . .
Ni chefais eithr nych ofal,
nid amod im dim o dâl
ond ei myned, gweithred gwall,
deune'r eiry, dan ŵr arall . . .
Pa fodd bynnag i'm coddi
y gwnaethpwyd, neu'r hudwyd hi,
yn gwcwallt salw y'm galwant,
wb o'r nâd, am ne berw nant . . .

Daw llawer o wir gymeriad Dafydd ap Gwilym i'r
golau yn y llinellau hyn ac yn enwedig yn y cwpled byw,
nerfus, chwyrn olaf yna. A chymysg cieidd-dra a
thosturi a dirmyg yw'r llinellau o anogaeth a gwahoddiad
a ganodd ef i un arall o'i gariadon. Y mae'r syniad y
tro hwn yn un o ystrydebau'r oesoedd ; bu'n destun
gan Horas a chan Ronsard, ond lle y mae bardd y
Dadeni yn llariaidd a syn-freuddwydiol wrth iddo
fyfyrio ar henaint ei gariad, y mae'r Cymro yn goeglyd
ac yn galed fel dur :

Pan êl y gwallt hirfelyn
a'i frig fal y caprig gwyn,
a gorlliw'r aur o'r deurudd
ac yn grych mwnwgl a grudd,
gwrach a fyddy i'th dŷ tau,
—och f'annwyl,—a chleirch finnau.
Edrych yn y drych dy dro,
a'th wyneb yn cethino ;
ni'th eilw cerdd na thelyn,
ni'th gâr ar y ddaear ddyn :
Câr, y ddyn rhyfedd heddiw
tra fych i'th lewych a'th liw.

78

Ni all ymchwilwyr hanesyddol i ffynonellau barddon-iaeth bob amser gadw golwg sefydlog ar yr hyn sy'n farddonol mewn barddoniaeth. Bodlonant ar ddangos tarddiad syniadau a ffigurau. Ond yn y pen draw gwrthdrawiad y pethau hyn ar ysbryd a thraddodiad y bardd sy bwysicaf. A'r peth newyddaf yng nghanu bwrdeisiol Dafydd ap Gwilym yw'r syrffed a'r coegni sydd ynddo'n gymysg ag anedifeirwch. Pan droes y pencerdd Cymraeg o fyd gwastad a dinewid y ffurfiau Platonaidd i fyd anwadalwch a blysiau, o fyd athron-iaeth i fyd y synhwyrau, dug chwyldroad ar werthoedd barddoniaeth. Gwnaeth ddefnydd a geirfa cerdd dafod yn gymhleth ddyrys. Ni ellir bellach edrych ar ddychan a moliant fel dau beth ar wahân megis y dysgai'r tradd-odiad a'r gramadegwyr newydd : "ni pherthyn ar brydydd ymyrru ar glerwriaeth, canys gwrthwyneb yw eu crefftau ". Weithian y mae'r ddau elin wrth elin yn yr un frawddeg, fel nad oes na dychan bur na moliant pur, ond llwyr amhurdeb bywyd :

Yn gwcwallt salw y'm galwant,
wb o'r nâd, *am ne berw nant.*

Felly pan ymyrrodd prydydd ar glerwriaeth a dilyn y clerwr i'r trefi, cafwyd y peth newydd hwnnw mewn cerdd dafod Gymraeg, sef *eironi.* Elfen ydyw na allai ond prydydd yn ymyrru ar glerwriaeth ei chyfleu. Dull o fwynhau " bywyd bas " ydyw, dull o ymdaflu iddo a gwybod ei flas, ond a'r deall o leiaf yn glir a beirniadol a heb ei rwydo ganddo :

Y fun glaer, fwnwgl euraid,
o Fôn gynt yn fwyn a gaid . . .
peraist annog fy nghrogi,
pe'm cäut, ni fynnut fi . . .
Na phâr, ddyn deg waneg wedd,
grogi dillyn y gwragedd . . .

79

> Rhyfedd oedd i Bab Rhufain
> fod gennyd, gwyn fy myd main ;
> chwarëus fuam, gam gae,
> chwerw fu ddiwedd ein chwarae . . .

Eithr nid oedd yn ddigon gan Ddafydd ddianc oddi wrth fyd athroniaeth i fyd eironi nac oddi wrth haniaethau'r ysgolion at ddiriaethau'r clerwyr a'r tefyrn. Cawsai yntau addysg pencerdd, canasai nifer o awdlau a chywyddau yn union draddodiad Einion Offeiriad. Yr oedd yr ysfa am berffeithrwydd fel testun cerdd wedi gafael ynddo ac ni allai bywyd bas ac eironi fodloni un oedd, er ei holl grwydro, mor Gymreig ei fagwraeth. Ei broblem derfynol ef gan hynny oedd sut y medrai gydweddu'r perffeithrwydd a oedd yn nhestun yr ysgolion â'r bydolrwydd synhwyrus a garai yn y canu poblogaidd bwrdais. A allai ef, heb na choegni nac eironi, ddewis allan o'r elfennau hynny a'i swynai yn y canu o'i gwmpas ddefnyddiau i'r perffeithrwydd a fynnai ef ei hunan ? A fedrai ef greu byd mor berffaith â byd yr athronwyr, ond byd gwahanol ? Nid byd swyddogol, trefnus, graddedig, politicaidd Einion Offeiriad, eithr un mor rhydd â bywyd y gwesty tref, mor llawen a llawn serch â hwnnw, ond yn groes i hwnnw yn llawn cywirdeb ac yn ddi-siom :

> Digrif in, fun, un ennyd
> dwyn dan frig bedwlwyn ein byd,
> cyd gyfrinach fach a fu,
> coed olochwyd, cyd lechu,
> cyd fwhwman marian môr
> cyd aros mewn coed oror,
> cyd blannu bedw, gwaith dedwydd,
> cyd blethu gweddeiddblu gwŷdd,
> cyd adrodd serch â'r ferch fain,
> cyd edrych caeau didrain ;

crefft ddigrif rydd fydd i ferch,
cyd gerdded coed â gordderch,
cadw wyneb, cyd owenu,
cyd chwerthin finfin a fu,
cyd ddigwyddaw garllaw'r llwyn,
cyd ochel pobl, cyd achwyn,
cydfod mwyn, cyd yfed medd,
cyd arwain serch, cyd orwedd,
cyd ddaly cariad celadwy,
cywir, ni mynegir mwy.

Dyna baradwys ddaearol Dafydd ap Gwilym. Yma nid oes na choegni nac eironi. Y mae ei hapusrwydd fel hapusrwydd plentyn, yn syml a naturiol a byr-dragywydd ac yn ymylu bron ar ddagrau gan ei ber-ffeithied : " cyd ochel pobl, cyd achwyn ". Ond hapus-rwydd plentyn yr adeg y try yn ŵr ydyw, hapusrwydd llencyndod sy'n cadw adnoddau ac ymwybod plentyn am dro wedi cyrraedd cyflawnder bywyd a dwyn felly i fwynhad profiadau aeddfedrwydd holl angerdd a diniweidrwydd anfoesol ac anghymdeithasol plant. Y mae'r tystion allanol yn bendant ddarfod i Ddafydd ap Gwilym farw yn ifanc. Y mae'r arwyddion mewnol (hyd y mae'n bosibl ar hyn o bryd fentro barn arnynt) yn llawn cyn gryfed. A chan na ellid yn y bedwaredd ganrif ar ddeg ddweud bod dyn dros ei ddeugain oed yn marw yn ifanc, tybiaf y byddai rhoi amser meithach na 1340—1360 fel cyfnod barddoni Dafydd yn groes i'r holl dystiolaeth sy'n sicr amdano. A bardd ieuenctid yw ef yn anad dim, bardd y cyfnod hwnnw ar fywyd y mae dyn bob eilwers yn ymlawenhau mewn serthedd ac yn wyrthiol dyner, annwyl a phur, a'r naill mor naturiol a llwyrfryd â'r llall.

Y cywyddau " oed mewn llwyn " yw calon ei holl waith ef. Dywed Dr. Chotzen nad oes i'r cywyddau hyn batrymau mewn unrhyw farddoniaeth dramor. Gwelsom eisoes nad oedd eu testun yn ddieithr i'r clerwr :

> Yn y marchwiail ydd adeiliais,

nac i brydydd y rhieingerdd :

> Da y gwnaeth Mai dai o'r dail
> . . . .
> i minnau, fi a'm annwyl.

Dywed Llywelyn Goch fod y testun yn hoff gan yr uchelwyr :

> Gwyn ei fyd feirdd byd bedw-wawd a ganant.

Ond cymerth Dafydd ap Gwilym y testun hwn a datblygodd ef yn helaethach na neb arall. Gwnaeth ef yn arbennig iddo'i hun. A'r dylanwad cryfaf oll ar y cywyddau hyn o'i eiddo oedd dylanwad y canu swydd-ogol i lysoedd yr uchelwyr a chanu traddodiadol ysgolion y beirdd. *Yn erbyn* y moliant i'r cyfannedd y canodd ef i'r anghyfannedd ; *yn erbyn* y cywyddau i dai o goed a cherrig y canodd ef i'r tai o ddail. Y gwrthdrawiad hwn, fe geisir dangos yn awr, yw'r allwedd i'w gyfrinach ef. Mewn rhai cywyddau y mae'r cyferbyniad mor bendant eglur nes ei fod bron yn ymyrru ar barodi ar y canu i berchentyaeth :

> Gwerdd hafblas cyweithasdeg,
> ple mae gwell ystafell deg,
> gwir ddodrefn o'r gaer ddidryf,
> gwell yw ystafell, os tyf ;
> nid mal mewn congl dan gronglwyd
> y gwnaeth deiladaeth Duw lwyd.
> Unair wyf i â'm cyfoed,
> yno y cawn yn y coed

82

glywed siarad gan adar,
clerwyr coed, claerwawr a'i câr . . .
Neuadd hardd newydd yr ha',
dwylo Mai a'i hadeilia,
a'i linyn yw'r gog lonydd
a'i ysgwîr yw eos gwŷdd . . .

Ceir cymhariaeth debyg a manylach fyth yn y cywydd
" Adeiliais dŷ fry ar fron ", a roddir gan un llawysgrif i
fardd arall, ond sy'n dwyn nodau digamsyniol Dafydd
ap Gwilym ac yn disgrifio holl bensaernïaeth y tŷ, ei
lofft, ei gwrt, ei " gwpl Ffrengig ", ei gapel, ei wely a'i
weision.   Felly eto yn y cywydd " I Wahodd Dyddgu " :

Tra fom allan dan y dail,
ceinwydd y bedw a'n cynnail,
llofft i'r adar i chwarae,
llwyn mwyn, llyna'r llun y mae,
nawpren teg eu hwynepryd
y sydd o goedydd i gyd,
i waered yn grwn gwmpas,
i fyny yn glochdy glas . . .
lle cyrch ieirch, rhywiog ceirch ryw,
lle cân edn, lle cain ydyw,
lle newydd adeilwydd da,
lle nwyf aml, lle nef yma.

Gellid dyfynnu llawer iawn ychwaneg a thebyg, ond
campwaith yr holl gywyddau disgrifiadol hyn, nad
ydynt namyn cyfres o sialensau i'r canu swyddogol, yw
Cywydd y Llwyn Banadl :

O daw bun i dŷ y bo,
iarlles wen i'r llys yno,
mae iddi, a mi a'i mawl,
oes, baradwys ysbrydawl,

> coed wedi eilio pob cainc,
> cynddail o wiail ieuainc ;
> pan ddêl Mai a'i lifrai las
> ar irddail i roi'r urddas,
> aur a dyf ar edafedd
> ar y llwyn er mwyn a'i medd ;
> teg yw'r pren a gwyrennig
> y tyf yr aur tew o'i frig,
> Duw a roes, difai yw'r ail,
> aur gawod ar y gwiail ;
> bid llawen Gwen bod llwyn gŵydd
> o baradwys i brydydd . . .
> Dal tŷ ac adeilad da
> yr wyf o aur Arafia,
> pebyll Naf o'r ffurfafen,
> brethyn aur, brith yw ei nen,
> angel mwyn yng ngwely Mai
> o baradwys a'i brodiai.

Moliant daearol, gwrthathronyddol yw hwn. Nid yng nghymdeithas raddedig byd yr Ideâu y gwêl Dafydd berffeithrwydd, eithr yn nhelynegrwydd calon ifanc synhwyrus yn darganfod ei lawenydd uniongyrchol ei hun. Ac nid digon ganddo gymharu ei gartref dychmygol â chartrefi delfrydol beirdd yr uchelwyr, ond myn ddwyn ei sialens ymhellach drwy ei gyferbynnu hefyd ag eglwysi'r abatyau :

> Capel glwysfrig ni'm digiai
> o ddail irgyll mentyll Mai,

neu hyd yn oed yr eglwysi cadeiriol :

> Dyred i'r fedw *gadeiriog*,
> i grefydd y gwŷdd a'r gog,

canys yno hefyd fe geir offeren, " a hynny ar gân " :

> Mi a glywwn mewn gloywiaith
> ddatganu, *nid methu maith*,

(ni ellir camddeall yr ergyd)

> darllain i'r plwyf, nid rhwyf rhus,
> efengyl yn ddifyngus,
> codi ar fryn yn yna
> afrlladen o ddeilen dda,
> ac eos gain fain fangaw
> o gwr y llwyn gar ei llaw,
> clerwraig nant, i gant a gân
> cloch aberth clau â chwiban,
> a dyrchafel yr aberth
> hyd y nen uwchben y berth,
> a chrefydd i'n Dofydd Dad
> a charegl nwyf a chariad ;
> bodlon wyf i'r ganiadaeth
> bedwlwyn o'r coed mwyn a'i maeth.

Nid hynny yw terfyn y sialens. Canys y gaeaf oedd amser arbennig canu beirdd perchentyaeth, fel y dengys Iolo Goch a Llywelyn Goch :

> Nid af hyd yr haf, nid rhaid,
> o le paradwys ail oedd,
> o wynion lwysion lysoedd ;

Y mae'n amlwg fod bywyd yn yr hafod yn rhy brysur i neb fedru croesawu bardd. Yn llwyr groes i hynny yr haf yw dechrau paradwys Dafydd ac ym mis Mai yr egyr ei lysoedd ef eu drysau :

Duw gwyddiad mai da gweddai
dechreuad mwyn dyfiad Mai.

ac ni wêl ef ym misoedd dethol y penceirddiaid ond
achos tristwch :

Mis Ionawr, blaenawr y blaid,
mae Duw'n gwneuthur meudwyaid.

Y mae'n dra awgrymiadol mai yn y gaeaf yr amserir
cryn nifer o gywyddau trefol a chywyddau tafarn
Dafydd. Yn y gaeaf y daw ef yn " frwysg o'r dafarn "
a charu mewn strydoedd :

Ni bu'n y Gaer yn Arfon
geol waeth na'r heol hon,

ac y mae'r cwbl o'i glod afradlon a nwyfus i'r haf yn
rhan o'i wrthdrawiad ef yn erbyn moliant uchelwriaeth.
Nid wynebasai'r traddodiad llenyddol Cymraeg erioed
o'r blaen y fath her i'w egwyddorion ag a gafodd gan y
prydydd hwn. Nid rhyfedd i Ruffudd Gryg, bardd o'r
ysgol reolaidd a oedd flwyddyn yn iau na Dafydd, amau
hyd yn oed ei drwydded a'i addysg farddol :

Am radd y mae'n ymroddi
ymryson ym Môn â mi,

ac i Ddafydd yn ei ateb orfod cwyno oblegid " edliw
im fy nhrwydded ".

Ond yn ddiddorol ddigon, merched y cywyddau
gwahodd i'r llwyn yw'r tebycaf o holl gymeriadau
Dafydd i gymeriadau'r traddodiad llenyddol. Y tywy-
sog Hywel ab Owain Gwynedd yn y ddeuddegfed
ganrif a sicrhaodd le'r rhieingerdd mewn cerdd dafod.

" Cerdd foliant i'r gwragedd " y galwodd ef ei awdlau'i hunan. Ynddynt fe greodd ddelw y rhiain Gymreig : main a theg, hirwen, lluniaidd, coeth ei Chymraeg, tawel ei chwerthin, doeth a bonheddig a moesgar, gwen o law a braich :

Wrth gamu brwynen braidd na ddigwydd,
bechanigen wen wan ei gogwydd,
mabinaidd, luniaidd, lawn gweddeiddrwydd . . .

Tebyg i " ddewis riain " Hywel yw'r merched a folir gan fwyafrif beirdd y tywysogion, a honno a aeth i mewn i oriel personau Einion Offeiriad : " Morwyn ieuanc rieinaidd a folir o bryd a gwedd a thegwch a diweirdeb a morwyndod a rhieinaidd ledneisrwydd a chwrteisrwydd a boneddigeiddrwydd a hygarwch a disymlrwydd ac addfwynder ; ac iddi y perthyn serch a chariad a rhieingerdd ".

Hon, yn hytrach na merch y bwrdeisdrefi, a wahoddir gan Ddafydd i'w baradwys ddaearol yntau. Gwlad ac nid tref yw ei chyfannedd hi :

Cyfeiria acw yfory . . .
oni ddelych i ddolydd
a dyffryn gweddeiddwyn gwŷdd,
a phrif afon fferf fwyfwy
a ran y ddôl˙wair yn ddwy . . .
Disgyn, edn, dos genhadwr,
ar lwyn dail ar lan y dŵr . . .

Bonheddig a thawel, iarlles hael yw hi, rhy ddiwair, rhy gyweirbropr, di-uchel ei llais :

Ni bydd tebyg neb iddi,
Yn hael iawn, yn hil ynad,
yn heilio gwledd, yn haul gwlad,

yn fonheddig, yn ddigardd,
yn fain ei hael, yn fun hardd,
yn ennill clod, yn annwyl,
yn dda ei thwf, yn ddoeth ŵyl . . .

a hyd yn oed pan na bo hi o ddosbarth rhianedd, ond
yn un o "ferched y gwledydd":

Y fun well ei llun a'i lliw
na'r iarlles ŵn o'r eurlliw . . .

Gwell wyd mewn pais wenllwyd wiw
nag iarlles mewn gwisg eurlliw.

Pan gyflawnir holl ddymuniad y bardd yn y llwyn
ceidw ei gywyddau ef yno gwrteisi a lledneisrwydd
iaith ac ysmaldod sy mor brydferth â'r chwerthin ar
fin Morfudd ei hunan:

Tâl moeledd, talm o alaw,
teÿrnasaidd, lariaidd law, . . .
Manodliw fraich munudloyw
Morfudd, huan ddeurudd hoyw,
a'm daliawdd, bu hawdd bai hy,
daldal ynghongl y deildy . . .
Teg oedd weled drwy redyn
Tegau dwf yn tagu dyn !
Diofn, dilwfr, eofn dâl
a du wyf—a diofal !

Prin er hynny yw'r oriau gorfoledd a bodlondeb serch.
Yn fynychach bydd y bardd ei hunan yn ei ddeildy:

Imi aros em eirian
ac i wneuthur mesurau
o benillion mwynion mau,

gan ymroddi i'w fwynhad parod yn yr olygfa goediog
Gymreig :

> Yn llawen iawn mewn llwyn ir
> gan addwyned gweled gwŷdd,
> gwaisg nwyf, yn dwyn gwisg newydd,
> ac egin gwin a gwenith
> ar ôl glaw ar ael y gwlith,
> a dail glas ar dâl y glyn,
> a'r draenwydd yn ir drwynwyn,

Peth newydd iawn yng Nghymraeg y bedwaredd
ganrif ar ddeg yw'r segurdod diwyd hwn a'r ffresni
sylwadaeth a'r synwyrusrwydd buan sy'n ei ganlyn.
Y mae'r cywydd " Moliant i'r Ceiliog Bronfraith " yn
gân arall sy'n codi'n syth o foment o brofiad ac yn un
o bethau perffaith Dafydd :

> Bronfraith ddilediaith loywdon,
> deg loywiaith, *doe a glywais*,
> dawn fad lon, *dan fedw ei lais*,
> ba ryw ddim a fai berach
> blethiad na'i chwibaniad bach ?
> Pell y clywir uwch tiroedd
> ei lef o lwyn a'i loyw floedd.

Profiad yn ei gyflwr cyntaf a heb ei gyffredinoli sydd
yma. Y mae chwibaniad yr aderyn a glywodd ef ddoe
yn " beth ", yn sylwedd ar ei ben ei hun iddo, ac nid
oherwydd ei fod yn rhan o ddosbarth rhesymegol ar Fod.
Dyna hefyd ran bwysig dros ben o newyddwch canu
Dafydd ac o'i ymgyrch ef yn erbyn canu athronyddol.
Nid cysgodion o sylweddau a wêl ef yn y byd hwn, ond
y mae'r byd synhwyrus yn bod yn wirioneddol ac yn
wyrthiol iddo.

Gyda'r cywyddau llwyn, naturiol yw ystyried y cywyddau llatai. Gwelsom mai'r cywyddau perchentyaeth a roes iddo fformwla ei gerddi i'r llwyn. Canodd hefyd ryw ddwsin o gywyddau llatai sydd oll yn hynod debyg i'w gilydd o ran cynllun. Ni lwyddodd neb i ddarganfod patrwm tramor iddynt y gellid tybio ei efelychu gan Ddafydd. Dywed Gruffudd ap Dafydd, a fu o'i flaen ef, fod sôn am lateion a morwynol ddynion yn rhan o'i gerdd dafod ef, ac fe edifarha Llywelyn Goch yn ei henaint tua 1384 am iddo "wneuthur llateiaeth". Ond nid oes dim ar gael cyn 1340 y gellir ei gyffelybu i waith Dafydd ap Gwilym. Ei gynllun ef yw enwi llatai neu negesydd serch, ei ddisgrifio wedyn yn helaeth neu'n hytrach ei "foli", ac yna grefu arno ddwyn annerch at ei gariad, gan ddisgrifio'i gwlad hi neu ei pherson neu beryglon y ffordd, a gorffen drwy weddïo am nawdd drosto neu ynteu drwy ei ailfoli a'i "ddyfalu". Yn y goreuon o'r cywyddau hyn moliant, yn null y moliant i esgob neu uchelwr, yw'r rhan hanfodol; eithr yn hytrach nag amryw *species* yr ysgolhaig, testunau moliant Dafydd yw'r ehedydd, yr wylan, yr alarch, y ceiliog mwyalch, yr eog, y don, ac y mae gennym dystiolaeth y bardd ei hun fod y cyferbyniad hwn yn ei feddwl wrth iddo gyfansoddi :

> Ys gwn innau o newydd,
> sgwir gwawd, ysgweier y gwŷdd,
> ganu moliant a'i wrantu
> i ti, y ceiliog, wyt du.

Gall y moliant hwn weithiau fod ar lefel parodi ar y canu swyddogol megis yn nyfaliad y ceiliog coed :

> Esgud wybr, ysgod abad,
> ysgwl du ymlaen osgl dâr,
> esgoblun mewn ysgablar,
> delw eglwyswr dail gleision,
> deilwr,—brawd bregethwr bron !

Ond yn y cywydd i'r ehedydd, pan fo'r un gymhar-
iaeth yn taro ar feddwl y bardd :

> Cantor o gapel Celi,

fe gyfyd y cwbl y tu draw i barodi a dyfaliad a
chyrraedd cyflwr gweledigaeth :

> Moli Duw mal y dywaid
> mil a'i clyw, " hoff yw, na phaid ".

Felly unwaith eto cymerth Dafydd ap Gwilym fethod
ac arddull y canu swyddogol allan o'r ysgolion a'r
llysoedd a'u lleoli ym myd natur a gwylltineb.   Efallai'n
wir fod y cyferbyniad yn llwyrach hyd yn oed nag a
awgrymwyd.   Canys ni ellir llai na sylwi ar y tebyg-
rwydd mawr mewn cynllun a datblygiad rhwng cywydd
llatai gan Ddafydd a chywyddau gofyn ac awdlau
erfyniad y beirdd swyddogol.   Ac yn oes Dafydd yn
arbennig y dechreuwyd canu'r cyfryw gerddi.

Boed hynny fel y bo, yn y cywyddau hyn y cwblheir
y disgrifiad o fyd barddonol Dafydd ap Gwilym.   Yma
fe bortrëir ei breswylwyr anraddedig, answyddogol :

> Yr eos ar ir wiail,
> a'r fwyalch deg ar fwlch dail,
> bardd coed mewn trefgoed y trig,
> a bronfraith ar ir brenfrig,
> a'r ehedydd lonydd lais.

Diau bod peth o'r moliant iddynt yn beiriannol a
ffurfiol, yn ddyfaliad neu ddychymyg arwynebol a
chlyfar ; ond fe geir hefyd yn fynych iawn ddisgrifio
sy'n weledigaeth, yn gyngreddf unionsyth, megis yn y
llinell sy'n dal holl ryfeddod yr wylan :

> Darn fel haul, dyrnfol heli,

neu megis yn y cwpled y tywalltodd ef iddo ei ryfeddod
am y fronfraith :

> Edn diddan a gân ar gyll
> yng nglwysgoed, angel esgyll,

neu'r cwpled arall sy'n mynegi holl brydferthwch unig
yr alarch :

> Duw roes it yn yr oes hon
> feddiant ar lyn Yfaddon,

neu eto yn y cwbl o'r cywydd i'r ehedydd, neu, er mwyn
diweddu, yn yr afradlonedd moliant a deifl ef i'w
Gywydd i'r Ser, enghraifft gampus o'r hyn sy'n hynotaf
yn athrylith Dafydd, sef egni dihysbydd ei feddwl.

Dywed Gruffudd Robert, Milan, yn un o'i ymosodiadau
ar y prydyddion Cymraeg : " Nid yw'r pethau a ddarfu
iddyn' hwy eu terfynu mor awduredig na allo rhai eraill
ddoedyd yn eu herbyn, megis y gwnaethant hwythau
am Ddafydd ap Gwilym ". Dengys hyn fod cof yn yr
unfed ganrif ar bymtheg am wrthdrawiad rhwng Dafydd
ac ysgolion y beirdd. Bellach, yr ydym ninnau mewn
ffordd i fedru deall natur y frwydr. Creodd Dafydd
fyd barddonol mor gyflawn â byd athronyddol yr
ysgolion. Y mae ef yn fwy ac yn bwysicach o lawer
nag y cydnabuwyd yn gyffredin. Nid bardd telynegol
hapus a rhwydd, cyflym i fenthyg awgrymiadau a
pharod i gymryd testunau a syniadau o lawer ffynhonnell,
nid hynny'n unig yw ef, er bod hynny'n rhan o'i fedr.
Ond fe saif ef ymhlith crewyr mwyaf llenyddiaeth
Gymraeg. Mewn cyfnod o gyfnewid ac ailystyried
sylfeini barddoniaeth, creodd yntau hefyd gyfanfyd
barddonol newydd a gwahanol yn ei lwyredd a'i fwr-
iadau i ddim a fu o'i flaen, er benthyg ohono elfennau

92

gan amryw. Ac yr oedd y greadigaeth hon yn sialens
uniongyrchol i fyd graddedig, hieratig Einion Offeiriad
a'r ysgolion. Dywed haneswyr celfyddyd yr Oesoedd
Canol mai haniaethol ac athronyddol a simbolaidd a
hieratig oedd nodweddion y prif draddodiad swyddogol
Gothig ar ei hyd, er bod bob amser rai yn ceisio dianc
rhag ei lyffetheiriau neu'n ceisio eu hystwytho. Felly
gyda cherdd dafod Gymraeg : athrawiaeth Einion a'r
traddodiad a barhawyd ac a gwblhawyd ganddo sy'n
cynrychioli union gred grefftol yr oesoedd mewn Cym-
raeg. Yn erbyn hynny y cododd Dafydd ap Gwilym.
Ceisiodd ddihangfa mewn eironi a digrifwch " bywyd
bas ". Ond llwyddodd yn llwyrach ac yn bwysicach
wrth greu ei fyd barddonol ei hun mewn cyferbyniad
â'r byd hieratig, swyddogol. Nid " bardd natur " yn
yr ystyr sydd i'r gair mewn beirniadaeth ramantus yw
ef un dim. Bardd ffansi a rhyddid y synhwyrau ydyw,
bardd mewn cyfnod haniaethol ac athronyddol a honnodd
bwysigrwydd a gwerth y synhwyrus a'r dynol ac a
fynnodd gelfyddyd ddiriaethol a diathroniaeth. Dyw-
edais ar ddechrau'r bennod hon y gellid mwynhau
llawer o'i gywyddau heb ddeall athroniaeth ei oes.
Gwir yw hynny ac fe esbonia barhad ei boblogrwydd.
Ond yn unig o ddeall athroniaeth ei gyfnod hefyd y daw
mawredd ei waith yn gwbl amlwg. Y mae'r lledrith
sydd mewn llinellau fel hyn :

> Yr adar bach a rwydud
> â'th iaith dwyllodrus a'th hud,

yn agored i bawb i'w fwynhau. Ond er mwyn pwyso'n
deg yr athrylith a'u gwnaeth rhaid medru profi'r blas
diriaethol sydd ynddynt ac yn arbennig yn y gair
rhwydo, a gwybod mor newydd ydyw yn ei gyfnod,
mor rhiniol ffres yn codi allan o'r bywyd y craffodd y
prydydd gymaint arno. Nid rhyfedd iddo ennill ffafr
yr uchelwyr :

Gan nad oes, dyunfoes deg,
Gymroaidd wlad Gymräeg
hyd na chaffwyf, bwyf befriaith,
durfing was, da er fy ngwaith.

Ni bu ganddo ddisgybl, ond daeth yn " ddysgawdr pawb ". Rhaid oedd i'r beirdd ei ddilyn, ac nid bychan oedd perygl y traddodiad.

Ysgol Rhydychen

BARDD o Bowys a ffynnai yn chwarter olaf y bedwaredd ganrif ar ddeg a chwarter cyntaf y bymthegfed oedd Gruffudd Llwyd ap Dafydd. Ceir ei weithiau ef ac eraill yr ymdrinir â hwynt yn y bennod hon yn y gyfrol werthfawr, *Cywyddau Iolo Goch ac Eraill.* Pan fu farw Gruffudd Llwyd yn hen ŵr, canodd bardd oedd agos yn ogyfoed ag ef, sef Rhys Goch Eryri, farwnad iddo.

Camddarllenodd bardd ifanc o Bowys un paragraff yn y farwnad honno, barnodd fod ynddi sen ar Bowys, ac oblegid hynny canodd yntau farwnad i Ruffudd i gywiro, fel y tybiai, gân y bardd o Wynedd. Yn y ddwy farwnad fe ddisgrifir felly o ddau safbwynt gwahanol awen Gruffudd Llwyd. Y mae'r hen fardd, Rhys Goch, yn taflu'i feddwl yn ôl at yr amser yr oedd ef a Gruffudd yn ifainc gyda'i gilydd, a disgrifia awen ei gyfaill (a'i athro efallai) yr adeg honno. Dengys yn amlwg mai dan gyfaredd Dafydd ap Gwilym y canasai'r Gruffudd Llwyd ifanc ac y mae ei bortread ohono yn gwbl fel y darluniau a geir ym marwnadau cywyddwyr hanner olaf y bedwaredd ganrif ar ddeg. " Trysorwr serch, merch a medd " yw Gruffudd yn atgof Rhys Goch amdano, clodforwr eos a bronfraith, gelyn Eiddig, bardd pynciau llyfr Ofydd,—nid oes braidd ond hynny drwy'r cywydd oll oddieithr llinell neu ddwy tua'r terfyn, a byddai'n anodd cael tystiolaeth lwyrach i fuddugoliaeth Dafydd ap Gwilym, canys cyfrifid Gruffudd Llwyd yn ben ar y beirdd a oroesodd ganrif Dafydd.

Ond troer at gywydd ateb Llywelyn ap y Moel. Cydnebydd yntau unbennaeth Gruffudd ymysg y beirdd.

Dywed y gallai hyd yn oed blentyn adnabod nodweddion
ei ganu :

> Hawdd oedd i fab adnabod
> ar gywydd newydd ei nod,

ond pan fanylir ar " ei nod ", caiff y neb a ymgollodd
yn nisgrifiad Rhys Goch o'i gyfaill gryn sioc :

> Prydawdd i'r Tad o'r gadair,
> prydydd fu, prydawdd i Fair,
> prydawdd i'r Mab o'r aberth,
> prydawdd i'r Ysbryd cyd certh,
> prydawdd, diyngnawdd dangnef,
> i'r haul deg, arheilied ef . . .

Cyfeiriad sydd yn y cwpled olaf at gampwaith
Gruffudd Llwyd, sef y *Cywydd i anfon yr Haul i Annerch
Morganwg.* Eglur yw nad yn fardd serch nac yn
ddilynydd Dafydd ap Gwilym yr adweinid Gruffudd
Llwyd gan y bardd ifanc. Athro ceidwadol a difrifol
oedd ef yng ngolwg Llywelyn ; a'r tri nod ar ei gywydd
oedd :

> Mesur glân a chynghanedd
> a synnwyr wiw . . .

Nid yw hyn ond dyfyniad allan o'r trioedd cerdd,
ond y mae'n arwydd mai'n gynheiliad y traddodiad yn
gystal ag yn fardd crefyddol yr ymddangosai Gruffudd
i'r beirdd ifainc cyn marw ohono'n hynafgwr tua 1425.

Y mae'r ddau ddarlun yn chwanegiad gwerthfawr at
hanes llenyddol. Gellir derbyn tystiolaeth Rhys Goch
yn bortread teg o fardd ifanc a ddechreuai ar ei yrfa
tua 1380. Dafydd ap Gwilym yw ei arwr ac y mae
bellach enw ar ei fath ef o ganu,—" cerddau moliant
coed ". Hynny yn hytrach na moliant traddodiadol

yw gorhoffed y beirdd ifainc. Enw arall a ddefnyddir
i ddangos y gwrthdrawiad yn erbyn y moliant swyddogol
yw " Cerdd Fyrddin ", sy'n sialens i " Gerdd Taliesin ".
O safbwynt technegol, machludiad yr awdl sydd amlycaf.
Prin y cenir un oddieithr gan hen brydyddion i fynegi
eu hedifeirwch am gywyddau eu dyddiau ir. Cywyddwr
yw'r bardd newydd. Gellir haeru ar bwys tystiolaeth
unfryd Rhys Goch a Llywelyn mai rhan o gamp Gruffudd
Llwyd oedd glanhau neu berffeithio'r mesur cywydd a'i
gynganeddu'n fwy gofalus na'r cywyddwyr cynnar :

> Difrad o wnïad a wnâi
> a diwarth y'i gadawai.

Mewn gair, ymddengys erbyn diwedd y ganrif mai
Dafydd ap Gwilym ac nid Einion Offeiriad sydd i
lywodraethu ar ddyfodol cerdd dafod.

Yna'n sydyn, cyn cerdded o'r bymthegfed ganrif
ymhell, daw newid mawr. Daw difrifwch a dwyster
yn ôl i farddoniaeth, ac fel y cawn ddangos yn y man,
ymholi ac ystyried unwaith eto egwyddorion sylfaenol
celfyddyd. Pa beth a fu ?

Yr ateb yw : rhyfel Owain Glyndŵr. Bu llawer iawn
o bendroni a dyfalu gan haneswyr a beirniaid llenyddol
oblegid na cheir mewn barddoniaeth Gymraeg ond y
nesaf peth i ddim o hanes y rhyfel hwn, a lluniwyd
rhagor nag un ddamcaniaeth i geisio esbonio'r hyn a
elwir gan un beirniad yn " dawedogrwydd poenus ".
Ymddengys mai'r esboniad y cytunir arno lwyraf yw
bod yr holl gywyddau gwrthryfel wedi eu claddu a'u
distrywio yn y blynyddoedd ar ôl y methu ; felly fe
eglurir y diffyg testunau ac eto fe ddieuogir y beirdd o
unrhyw esgeulustod. Ond tybed nad yw'r holl ddam-
caniaethau yma'n ofer ? Onid yr esbonwyr eu hunain,
yn gyson â thraddodiad beirniadaeth ramantus y

97

bedwaredd ganrif ar bymtheg, sy'n *disgwyl* cael hanes
y gwrthryfel mewn barddoniaeth, ac yna, wedi eu siomi,
yn creu chwedl am ryw guddiad mawr er mwyn lleddfu'r
siom ? Gwell o lawer yw aros gyda'r ffeithiau. Y
mae'n ffaith fod y beirdd wedi gwneud fel y dylasent
yng ngwrthryfel Glyndŵr. Tyst o hynny yw deddfau
senedd Lloegr (gweler J. E. Lloyd : *Owen Glendower*,
tud. 55—56). Ond gwnaethant eu dyletswydd yn yr
unig ddull ymarferol i fardd neu lenor mewn amser
gwrthryfel neu amser cyfyngder ar ei wlad, sef drwy
roi heibio'i gelfyddyd a gweithio mewn brwydr a
phropaganda fel Cymro a milwr da. Ychydig o fardd-
oniaeth Gymraeg a gyfansoddwyd rhwng 1400 a 1410.
Yr oedd y beirdd wrth waith arall. At hynny, fe
welsom nad croniclo helyntion ei wlad a fu gorchwyl
prydydd erioed ; ni pherthynai hynny i'r gerdd newydd
fwy nag i'r moliant traddodiadol.

Effeithiodd rhyfel Owain Glyndŵr a'r methu mawr
torcalonnus ar farddoniaeth Gymraeg yn union yn y
dull y dylid ei ddisgwyl. Bydd yn rhaid cyfeirio eto
at rai o'r effeithiau, oblegid yn unig wedi mynd o
brofiad y rhyfel yn rhan o ymwybod y wlad y cyflawnwyd
ei holl effaith. Felly, er enghraifft, yn ddiweddarach
y crewyd canu politicaidd y cywyddau brud a gododd
Owain o'r diwedd yn rhan o gof a gobaith Cymru.
Ond effaith gyntaf ac uniongyrchol y rhyfel ar lenydd-
iaeth Gymraeg oedd rhoi difrifwch newydd ynddi.
Dengys y gwahaniaeth rhwng marwnad Llywelyn ap y
Moel i Ruffudd Llwyd a marwnad Rhys Goch iddo fod
naws a thôn lywodraethol barddoniaeth yn 1425 yn dra
gwahanol i'r hyn oeddynt yn 1385—1395. Diflannodd
y diystyrwch am y traddodiad, diflannodd y gwamal-
rwydd. Y mae " cerdd Fyrddin " a " moliant coed "
yn mynd dan gwmwl, a Gruffudd Llwyd yn ymrestru
dan faner y traddodiad swyddogol ac athrawiaeth
Einion Offeiriad.

Yn ddiau, darlun cyffredinol o fardd tua 1385—1395 a roddes Rhys Goch inni yn ei farwnad i Ruffudd Llwyd. Dengys ei gywydd marwnad diweddarach i Lywelyn ap y Moel ei hun mor nerthol a chyffrous yr arhosai'r cof am feirdd y ganrif gynt a'u mudiad brwd yn ei feddwl. Ni ddylem honni bod ei ddarlun o Ruffudd Llwyd yn bortread manwl gywir o'r unigolyn hwnnw. Os canodd Gruffudd ychwaneg o gywyddau " moliant coed " nag a gadwyd mewn llawysgrifau, fe gadwyd er hynny ryw dri neu bedwar o gywyddau ganddo sy'n perthyn yn sicr i'w gyfnod cynnar ac a ddengys ei fod eisoes y pryd hynny yn meddwl yn gymdeithasol ac yn boliticaidd. Cerdd o'r cyfnod cyn y rhyfel yw ei gywydd *Byd dudrist bywyd hydraul* (I.G.E. tud. 133). Cywydd politicaidd pwysig i Owain Glyndŵr ydyw. Disgrifia drueni gwleidyddol Cymru, myfyria am ei gorffennol ac am y brenhinoedd ysblennydd a roesai traddodiad iddi, a haerir mai etifedd naturiol eu swydd hwynt wedi marw Syr Hywel y Fwyell yw Owain Glyndyfrdwy. Nid yw'r cywydd yn gywydd moliant cyffredin,—y mae'r ystyriaethau politicaidd ynddo'n rhy bendant. Y maent mor bendant fel y gellir dal yn hyderus na feiddiasai'r bardd eu rhoi mewn cân i arglwydd Sycharth heb wybod ohono y caent groeso gan Owain. Rhaid credu bod y syniadau hyn wedi bod yn fater ymddiddan wrth fwrdd Sycharth, ac os felly, odid nad yw'r cywydd yn un o'r allweddau pwysicaf i ddeall yr hyn sy mor dywyll gan haneswyr, sef yr achosion neu'r cymhellion a roes nerth i wrthryfel Owain Glyndŵr.

A rhyw flwyddyn neu ddwy cyn terfyn y ganrif canodd Gruffudd gywydd i Hywel ap Meurig Fychan a Meurig Llwyd ei frawd (I.G.E. 128). A wyddai'r bardd fod rhyfel yn agosáu ? Y mae'r difrifwch a nodwedda'i waith diweddarach ar ôl y rhyfel eisoes yn gyflawn yn y cywydd hwn. Ynddo fe amddiffynna'r prydyddion yn wyneb beirniadaeth yr *Elucidarium*; ymwâd hefyd â'r canu poblogaidd a thraddodiad " moliant coed " :

> Nid un o'r glêr ofer wyf :
> nid wyf ry ddifoes groesan.

Yna cyhoedda ei ymlyniad wrth athrawiaeth Einion ; deil mai'r Ysbryd Glân yw ffynhonnell awen, mai moliant yw ei hamcan gan mai rhodd Duw yw hi, ac mai'r " da " yw testun pob cerdd briodol :

> Minnau heb gêl lle delwyf
> i rai da bardd erioed wyf.

Yn goron ar holl waith Gruffudd Llwyd ceir y *Cywydd i ddanfon yr Haul i annerch Morgannwg*. Ar gynllun cywydd llatai y mae, ond moliant i gyfannedd ac i blasau a geir,—felly y troes y rhod ar Ddafydd ap Gwilym. Cerdd o orfoledd yng ngwareiddiad Cymreig ac uchelwriaeth Morgannwg yw'r cywydd ; nid cân i waith natur, eithr i waith gwareiddiol a chyfanheddol dyn. Os gall Gruffudd anfon yr haul yn llatai at Forgannwg megis petai'n berson, ei gred ef yw mai'r trigolion drwy eu hewyllys a'u gweithgarwch sy'n creu, o ddefnyddiau crai natur, bersonoliaeth eu gwlad ac yn ei gwneud hi'n annwyl a chofiadwy. Darlun o wareiddiad delfrydol wedi ei godi ym mroydd a chymoedd Morgannwg sydd yma :

> Tro, dy orchymyn nid rhaid,
> cylch y neuaddau calchaid ;
> hynod gan Dduw dy hanes,
> hebrwng drwy'r gwydr terydr tes ;
> cadw bob man o'r cyfannedd,
> coed a maes lle caid y medd,

100

pob plas, teg yw'r cwmpas tau,
a'r llennyrch a'r perllannau ;
pâr i'r wlad goleuad glwys,
prydydd a'i geilw Paradwys,
cornel ar gyfer Cernyw,
cyntedd gwin a medd im yw,
lle gware llu a gwerin,
lle da gwŷr a'u lludw a'u gwin,
lle seiniodd llios annerch,
lle dewr mab, lle diwair merch . . .

Gyda'r cywydd hwn daeth " dull Taliesin " yn ôl i'w orsedd. Ar ôl rhyfel Glyndŵr a'r gobeithion a'r delfrydau a aethai'n angerdd ynddo, yr oedd gwerth a mawredd yn y weledigaeth hon a barodd sicrhau ffyniant traddodiad Einion Offeiriad.

Gwelir hynny'n eglur yn yr ymryson rhwng Rhys Goch a Llywelyn ap y Moel ar farwolaeth Gruffudd (I.G.E. 161—175). Yn wir, nid ymryson mohono, ond cyfnewid syniadau a geiriau teg a charedig rhwng dau fardd a fuasai mewn cysylltiad agos â Gruffudd ac yn unfryd yn y bôn mewn ffyddlondeb iddo. Cytuna'r ddau mai o'r Ysbryd Glân y deilliodd awen, mai moliant yw hanfod cerdd, mai " dull Taliesin " yw sylfaen y traddodiad llenyddol, mai harddwch y portread Crist- nogol o'r gymdeithas ideal yw cyfiawnhad eu " balch gelfyddyd " :

Oblegid llwyr lendid llên
diwarth adnabod awen,

a bod angen hefyd gyda chrefft am y ddawn arbennig a elwir yn " awen " er dyrchafu moliant yn weledigaeth : " Y mae yn y byd, Rys, fil o gerddwyr am un awenydd."

101

Tebyg oedd dysg y Trioedd Cerdd : " Tripheth a gad-
arnha gerdd, dyfnder ystyr ac amlder Cymraeg a
godidog ddychymyg ". Felly y gosodwyd i lawr o
newydd egwyddorion Einion Offeiriad, ac fe saif y
cywyddau hyn,—ac enw Rhys Goch gyda hwynt—
hyd yn oed yn y Dadeni Dysg yn yr unfed ganrif ar
bymtheg yn awdurdodol ar bwnc dysgeidiaeth ysgolion
y beirdd.

Ond yn ddisymwth, ar draws yr ymddiddan heddych-
lon hwn rhwng beirdd y moliant Awstinaidd, torrodd
sialens newydd. Yr oedd Llywelyn wedi cyfarch Rhys
Goch ar y cychwyn gyda'r llinell :

Pam ymcen hen awenydd ?

(Cymeraf mai cam-gopïo a gyfrif am *heb* yn lle *hen*
yn y llawysgrifau, gweler I.G.E., 164). Cymerth Siôn
Cent ail afael yn y llinell hon pan gyfarchodd yntau
Rhys Goch yn fuan wedyn :

Pam ymcen gŵr hen gair hardd ?

Ond gwahanol iawn oedd ei gyfarchiad ef i eiddo
Llywelyn. Yn anffodus aeth un cywydd gan Siôn Cent
yn ymosod ar Rys Goch ar goll. Oddi wrth ateb Rhys
iddo gellir dyfalu'n weddol sicr pa gyhuddiadau oedd
ynddo. Dau oeddynt, sef yn gyntaf fod Rhys Goch yn
" cadw geifr ei fam ", ac yn ail fod y beirdd Cymraeg
yn hereticiaid a aethai'n " adwythig o'r ffydd allan ".
Daw ystyr y cyhuddiadau hyn yn eglurach o'u gweld
yng ngolau'r cywydd enwog, *Dychan i'r Awen Gelwyddog*
(I.G.E., 182). Yn rhan gyntaf hwn disgrifia Siôn Cent
yn ddigon cywir fethod moliant a method dychan
ysgolion y beirdd Cymraeg. Yna daw'r llinellau hyn :

Awen yw hon, wan ei hawl,
o ffwrn natur uffernawl.
Ysbryd Da, naws syberw taid,
nawdd Dduw, celwydd ni ddywaid
na thwyll weniaith na seithug
na ffals gerdd gelwydd na ffug.
Mae'n y dics mewn y decsir
Meistr Tomas Lwmbard, gward gwir :
" Pob celwydd, yn nydd, yn nod,
bychan, mae ynddo bechod ".
Tyst ar hyn yw'r dengyn da,
synnwyr llyfr Alesanna,
neu lyfr Deidrys, gad frys fro,
mwyn ei ditl ond mynd ato.

Maddeuer inni mewn llyfr fel hwn am fynd i fanylion,
ond y mae'n rhaid esbonio'r cyfeiriadau uchod. " Dics
Meistr Tomas Lwmbard " oedd prif lyfr y dosbarthiadau
athroniaeth yn holl brifysgolion Ewrop drwy gydol yr
Oesoedd Canol, sef *Sententiarum Libri Quatuor* (Pedwar
llyfr y Dywediadau) gan Petrus Lombardus, a elwid yn
Feistr neu *Magister Sententiarum*. Mewn esboniadau
gan athronwyr diweddarach y darllenid Pedr Lwmbard
yn y dosbarthiadau, sgrifennwyd rhagor na dau gant
ohonynt yn Lloegr yn unig, a diau mai hynny a barodd
i Siôn Cent gymysgu enw yr awdur gwreiddiol â'i
esboniwr, a sôn am Tomas Lwmbard. Dyma'r darn
o'r Pedwar Llyfr a ddyfynnir gan Siôn Cent uchod :

> Quod vero omne mendacium sit peccatum August.
> insinuat. Mihi, inquit in Enchir. c. 18 videtur
> omne mendacium esse peccatum . . . Ecce ex hic
> constat omne mendacium esse peccatum. (Migne,
> Patr. cxcii, 833).

Alesanna, y dywed y bardd ei fod yn ategu dysg
Lwmbard, yw Alexander Halensis, athronydd o Sais a

103

aned yn Hales yn Sir Gaerloyw (1180—1245). Bu'n
efrydydd yn Rhydychen ac yn athro ym Mharis.
Cymerth gynllun llyfr Pedr Lwmbard yn batrwm i'w
brif waith yntau, a'i eiddo ef yw'r *summa* cyntaf yn yr
Oesoedd Canol a sylfaenwyd ar astudiaeth drylwyr o
Aristoteles. Deidrys (bu'r copiwyr mewn dygn ben-
bleth gyda'i enw) oedd y Meistr Dietrich neu Theodor-
icus o Vriberg yn yr Almaen (1250—1310) a'i ddiddordeb
yn arbennig mewn gwyddoniaeth ; bu ei waith ar natur
goleuni mewn bri yn nosbarthiadau Rhydychen.

Bu bywyd Siôn Cent yn un o ddirgelion llenyddiaeth
Gymraeg. Ceir ymdriniaeth drylwyr ar y coelion a
dyfodd o'i gwmpas gan yr Athro Ifor Williams (I.G.E.,
cxxxvi). Ond coelion ydynt oll na allasent dyfu namyn
o'r ffeithiau (1) fod Siôn Cent yn ŵr o ddysg eithriadol
a (2) fod ei ddysg yn un newydd ac anghynefin i Gymru.
Daw'r coelion oll yn ddealladwy, eglurir hefyd y traddod-
iad cryf ei fod yn Ddoctor, ac eglurir yn bennaf oll
natur ei waith barddonol a'i ymosodiad ar draddodiad
y beirdd, drwy'r ddamcaniaeth seml a chywir, fe antur-
iwn gredu, mai gŵr graddedig o brifysgol Rhydychen
oedd Siôn Cent.

Ni ellir yma fanylu ar y profion technegol, ond y
mae'n hanfodol hyd yn oed i'n hamcan presennol inni
ddeall ffynonellau syniadau Siôn Cent, canys fe welir
ymhellach ymlaen ei fod yn ffigur pwysig dros ben yn
hanes ein llenyddiaeth. Yn ffodus y mae gennym waith
bardd arall, cyfoeswr ag ef, y gwyddom iddo raddio yn
Rhydychen (Gweler T. Roberts : B.B.C.S., iv, 18—32),
sy'n disgrifio'i addysg yno yng nghywydd *Y Fost*. Ni
raid ond cymharu geirfa cywyddau Siôn Cent â geirfa
Ieuan ap Rhydderch i ganfod y tebygrwydd rhwng y
ddau yn eu defnydd o dermau gwyddonol ac enwau
dieithr. Ymffrostiant hefyd mewn pynciau cyffelyb,

104

megis eu bod wedi darllen "pob cronics a dics", sef y llyfrau hanes a'r llyfrau athroniaeth, a'r Beibl Lladin hefyd. Os gosodwn hynny oll gyda'r awduron athron-yddol y dangoswyd eu dyfynnu yn y *Cywydd i'r Awen Gelwyddog*, fe garem dybio bod y profion yn ddigonol mai yn Rhydychen yr addysgwyd Siôn Cent.

Esboniai hynny ddannod Siôn Cent i Rys Goch ei fod "yn cadw geifr ei fam". Eglur yw'r ergyd : megis y magesid Peredur yn y diffeithwch didramwy i gadw geifr ei fam ymhell o lys Arthur, a heb wybod ohono beth oedd nac arfau na chyweirdebau meirch na'r hyn a ellid â hwynt, felly yr edliwiai Siôn Cent i Rys Goch ei drigo yntau ym mynyddoedd Eryri, ymhell oddi wrth gyrchfannau dysg a heb wybod am ddatblygiadau athroniaeth ddiweddar, ond aros yn y syniadau hen-ffasiwn Awstinaidd ("geifr ei fam") oedd wedi eu bwrw heibio ers cenedlaethau yn y prifysgolion.

Diau mai cyn mynd ohono i Rydychen y bwriodd Siôn Cent ei brentisiaeth fel bardd. Odid nad yn y cyfnod hwnnw hefyd a than ddylanwad Gruffudd Llwyd y canodd ef ei gywydd i annerch Brycheiniog, cerdd sydd yn y traddodiad barddol unionaf. Gwelsom mai ar seiliau Platoniaeth Gristnogol a rhesymeg Aris-toteles y codwyd y traddodiad hwnnw, a bod ei ddysg yn troi'n gyfan gwbl ar syniadau cyffredinol a haniaethol. I un wedi ei ddisgyblu felly buasai dosbarthiadau Rhydychen yn nechrau'r bymthegfed ganrif yn gryn ysgytwad. Canys yn y brifysgol honno nid yn unig yr oedd y Realiaeth eithafol hon, sef y gred fod haniaethau megis y *genera* a'r *species* yn sylweddau gwrthrychol, wedi ei bwrw heibio'n hir cyn oes Einion Offeiriad, ond yr oedd Realiaeth gymedrol yr Aristoteliaid hefyd yn destun beirniadaeth lem. Ffurfiwyd traddodiad Rhyd ychen gan dri athronydd mawr eu hathrylith, dau ohonynt yn Saeson. Y tri oedd Roger Bacon yn y drydedd ganrif ar ddeg, Duns Scotus yn nechrau'r ganrif ddilynol (dysgodd yn Rhydychen 1305—1308), a William Ockham yn hanner cyntaf yr un ganrif. Roger Bacon yn flaenaf un a roes enw ar y ddysg newydd yn Rhydychen, sef *scientia experimentalis*, gwybodaeth prawf. Ebr ef : " Y mae dau ddull o wybod, sef rheswm a phrofiad. Y mae rheswm yn penderfynu, a gorfydd arnom gydnabod ei gasgliad, ond ni rydd ef y sicrwydd diamheuon hwnnw y bydd y meddwl yn ymorffwys ynddo mewn gwelediad o'r gwirionedd, oni bydd y casgliad wedi ei wrantu drwy brofiad ". Trown at William Ockham, cyfoeswr ag Einion Offeiriad, a chawn weld canlyniadau athronyddol yr egwyddor hon, neu'n hytrach y canlyniadau hynny y mae a wnelont yn awr â'n testun ni. O oes Bacon ymlaen datblygodd yn nosbarthiadau Rhydychen draddodiad y *scientia experimentalis*, ac yng ngwaith Wiliam Ockham, yn arbennig yn ei esboniad enwog ef ar bedwar llyfr Pedr Lwmbard, y datguddir ei holl ystyr athronyddol. Yr oedd yn rheol neu'n egwyddor gan Ockham na ddylid byth honni bodolaeth un dim heb brofiad cyngreddfol, uniongyrchol o'i fod. A oedd gennym y cyfryw brofiad o fodolaeth sylweddol y *species* ? Nac oedd. Casgliad y daethpwyd iddo trwy reswm, er mwyn egluro cyfathrach rhwng meddwl a gwrthrych, oedd y *species*. A ydyw'r casgliad yn anorfod ac angenrheidiol ? Maentumiodd Ockham nad ydyw, ac felly nad oes achos o un math i honni bodolaeth y *species*. Gwrthrychau unigol yn y byd sy'n agored i'n synhwyrau, y rheini'n unig, hyd y gall gwybodaeth annibynnol dyn ei sicrhau, sy'n sylweddau. Nid oes sylwedd gwrthrychol mewn unrhyw haniaeth nac mewn unrhyw syniad cyffredinol.

Sylwn am eiliad ychwaneg ar ddylanwad yr athrawiaeth hon ar gyrsiau prifysgol Rhydychen. Rhennid y saith gelfyddyd a astudid yn yr ysgolion yn ddwy adran sef y *trivium*, gramadeg, rhesymeg neu ddialechdeg, a rhetoreg; a'r *quadrivium*, a gynhwysai rifyddeg, meintoneg, seryddiaeth a miwsig. Effaith y pwyslais ar *scientia experimentalis* oedd datblygu'n helaeth yr efrydiau gwyddonol hyn a hyrwyddo ymchwiliadau ffisegol a phob efrydiaeth a ddibynnai ar sylwadaeth a phrofiad o'r byd gwrthrychol. Darllener cywydd *Y Fost* gan Ieuan ap Rhydderch ac fe welir mai fel cartref arbennig y *scientia experimentalis* ac efrydiau gwyddonol y cofiai am Rydychen.

Bellach bydd gwir ystyr cywydd Siôn Cent i'r *Awen Gelwyddog* yn hawdd ei chanfod. Y celwydd hanfodol yn y traddodiad llenyddol Cymraeg oedd yr athrawiaeth fod y *species* yn sylweddau a'r Ideâu yn "bethau". Sylfaen Blatonaidd "moliant" a gyhuddid ganddo. Iddo ef nid oedd hyd yn oed resymeg Aristoteles yn dwyn dyn i gyffyrddiad â gwrthrychau gwirioneddol. Ac oblegid bod cerdd dafod wedi ei dieithrio felly oddi wrth sylwedd y cyhuddodd ef y beirdd o fod yn hereticiaid. Y mae'n nodedig fod yr awduron y pwysodd ef arnynt i ddiffinio celwydd, sef Pedr Lwmbard, Alexander Halensis a Theodoricus, bob un yn wrthnebydd i ddysg Realiaeth eithafol. Aristoteliaid cynnar oedd y ddau olaf. Ni chlywsai Rhys Goch sôn amdanynt, a doniol iawn yw ei gyfeiriad ef at y cyntaf (I.G.E., 187).

Pa beth gan hynny a ddylai fod yn destun barddoniaeth? Nid oes gan Siôn Cent, disgybl y *scientia experimentalis*, un amheuaeth:

> Astudio'dd wyf, was didwyll,
> ystad y byd, astud bwyll;
> astud boen, ystod benyd,—
> *ystad bardd astudio byd.*

Ni ellid cael datganiad eglurach. Llais yr athroniaeth
newydd sydd yma, a thraddodiad athronyddol Rhyd-
ychen. Athronyddol fuasai defnydd cerdd dafod
erioed. Ni chwyna Siôn Cent oherwydd hynny. Ei
gwyn ef yw bod y prydyddion wedi cymryd dihangfa
mewn creadigaeth ansylweddol ac wedi esgeuluso'r
ddyletswydd lem, wir athronyddol, "astud boen", o
glymu eu sylw ar yr hyn sy'n gynnyrch gwybodaeth
prawf :

> Profais i megis prifardd
> fesur y byd hyfryd, hardd.

Sylwadaeth wyddonol ar y byd yw man cychwyn
barddoniaeth athronyddol :

> Ei natur drwg di-wg du,
> a'i anian a wna hynny . . .
> O ddaear goeg, dduoer, gam,
> y henyw pawb ohonam ;
> hon yn wir, lle henwir hi,
> y sydd ynom i'n soddi . . .

A'r sylwadaeth hon sy'n arwain meddwl bardd
gwyddonol at brif waith y greadigaeth :

> Dyn yn bennaf, Addaf oedd,
> a wnaeth o'r holl luniaethoedd,

a cheir ganddo baragraff iawn a nodweddiadol o feddwl
gwyddonol ei oes ar le dyn yn y greadigaeth :

> Dirfawr gariad heb derfyn,
> wir Dduw, a fwriaist ar ddyn ;
> dyn yn anad creadur
> a wnaethost,—gorfuost gur

o nerth tragywydd i ni,—
ar dy ddelw er d'addoli . . .
Pob march a phob tywarchawr
a ardd y maes, wir-Dduw mawr ;
bara os llafuria fo
i ddyn a geir oddyno ;
aig o bysgod yr eigiawn
a ddaw i ddyn, eiddaw ddawn ;
dir yw i bob aderyn
dysgu anrhydeddu dyn ;
gwyllt ac uchel eu helynt,
gweilch cyn ebrwydded â'r gwynt ;
i ddyn e' orwedd annof
ac ar ei law a ddaw'n ddof ;
mawr yw dy wyrthiau mirain
i mewn y llysiau a'r main ;
y tân o'th gelfyddyd deg,
Mab Mair, a gair o'r garreg ;
peraist i'r olew newydd
a'r gwin i ddyfod o'r gwŷdd ;
dilys fod crwth neu delyn
yn ceisio dyhuddo dyn . . .

Mewn rhai llawysgrifau, ac yn *Iolo Goch ac Eraill*, rhoddir y cywydd hwn i Ruffudd Llwyd. Eithr rhoddir ef gan lawysgrifau eraill diogel i Siôn Cent, ac y mae'r dystiolaeth fewnol yn anwadadwy. Ni fedrai ond Siôn Cent ei ysgrifennu.

Ond pa adroddiad a ellir ei roi am addurn pennaf y greadigaeth :

Dwys gred, nid oes greadur
o'r a wnaethost, gwyddost gur,
gymaint a'th wnêl yn elyn,
egni dost, ag y gwna dyn.

Darlunio dyn fel y mae felly yn ei gymeriad ac yn ei gyflwr yw prif orchwyl barddoniaeth athronyddol. Dychan, gan hynny ? Nage. Fe ddangosodd y cywydd i'r *Awen Gelwyddog* fod dychan y beirdd cyn belled oddi wrth y gwir am ddyn ag oedd eu moliant. Ni wnâi eu dychan gyfiawnder â'r fraint a'r mawredd a roesai Duw ar ddynoliaeth yn y cread. Diraddio dyn a'i wneud megis ci neu gythraul mewn paentiadau o uffern a wnâi dychan. Celwydd hefyd oedd hynny. Ond yn yr unrhyw gywydd eglurodd Siôn Cent beth oedd yn groes i gelwydd. Ym marn y beirdd, ebr ef, pan ganont er mwyn gwobr :

> Crefft annoniog fydd gogan,
> cywydd o gelwydd a gân.

Gogan felly yw dweud y gwir am ddyn. Nid yw nac yn foliant nac yn ddychan. Y gwahaniaeth rhwng gogan a'r ddau hyn yw mai ffrwyth sylwadaeth a phrofiad ydyw. Eironi Dafydd ap Gwilym yn ei gywyddau didwylliad yw'r peth tebycaf iddo a fuasai o'i flaen. Ond math o ymddiffyniad oedd eironi Dafydd, a gormod o'i adwaith ei hun ynddo, fel nad oedd yn dystiolaeth sylwedydd pur ac nad oedd yn gyfrwys iawn. Ond cymerer disgrifiad Siôn Cent o angladd uchelwr :

> Cychwyn i'r llan gyfannedd
> ar ei farch tua'r oer fedd ,
> yn ôl gwin, *rhoi'r annwyl gâr*
> *yn ddiwyd yn y ddaear.*

Sylwer fel y mae'r gair *diwyd* yma yn newid ystyr yr *annwyl gâr* a'i fingamu oll. Dyma ddull o ddefnyddio iaith sy'n newydd mewn Cymraeg, ei defnyddio megis cyllell. Disgrifia Siôn Cent angau'n aml, a dyd bwyslais ar hylltra a phydredd bedd a sgerbwd a phenglog.

Yr oedd hynny'n gyffredin mewn barddoniaeth grefyddol yn yr Oesoedd Canol ac nid oedd o gwbl yn ddieithr mewn Cymraeg. Ceir yn y *Myvyrian Archaeology* awdl *Ar Ddiwedd Dyn a'i Gorff* a briodolir i Ddafydd Ddu o Hiraddug sy'n disgrifio sgerbwd dyn yn fanwl a'r llyffaint a'r pryfed a'r cynrhon yn ei ysu. Nid hynny sy'n hynod yn nisgrifiadau cyffelyb Siôn Cent, eithr pethau fel yr ychwanegiad goganllyd sydd yn y gair olaf yma :

> A thrichant, meddant i mi,
> o bryfed yn ei *brofi*.

Campwaith ei ogan yw'r cywydd *Pruddlawn ydyw'r corff priddlyd* (I.G.E., 275). Y teitl priodol ar y cywydd hwn fyddai : Cywydd i Arglwydd yn ôl yr athroniaeth newydd. Gogan i uchelwriaeth ydyw. Dechreua drwy ddisgrifio'r arglwydd yn ei fawredd yn union megis cywydd moliant :

> Hoywddyn aur heddiw'n arwain
> caeau, modrwyau a main,
> ysgarlad aml a chamlod,
> sidan glân, os ydyw'n glod . . .

ond daw'r sylwedydd i gwblhau'r disgrifiad :

> Ymofyn am dyddyn da
> ei ddau ardreth oedd ddirdra,
> gan ostwng gwan i eiste
> dan ei law a dwyn ei le,
> a dwyn tyddyn y dyn dall
> a dwyn erw y dyn arall,
> dwyn yr ŷd o dan yr on
> a dwyn gwair y dyn gwirion,
> cynnull anrhaith dau cannyn,
> cyrchu'r da, carcharu'r dyn . . .

111

Yna disgrifia ef yn marw a'r wylo ar ei ôl, megis ac nid megis mewn marwnad moliant :

A llwybrau gwag lle bu'r gwin,
a'i gog yn gado'i gegin . . .
a'i wraig o'r winllad adail
gywir iawn, yn gwra'r ail . . .
Pan êl mewn arch hybarchlan
ar frys o'r llys tua'r llan,
nis calyn merch anherchwedd
na gŵr iach bellach y bedd,
ni rydd gordderch o ferch fain
ei llaw dan yr un lliain . . .
Cas gan grefyddwyr y côr
cytal a'r tri secutor,—
o'r tri chan punt yn untal
a gawsant ar swyddiant sâl,
balch fydd ei genedl dros ben
o pharant dair offeren . . .

A oes angen galw sylw at gyffyrddiadau megis yr *ar frys* uchod, neu'r ias yn y llinell *ei llaw dan yr un lliain,* neu'r dull y defnyddir y dywediad cyffredin *dros ben* ? Y pethau hyn a'u miniogrwydd clwyfog a'u sylwadaeth ddidrugaredd a'u cyfrwyster arddull yw cyfraniad Siôn Cent i ddatblygiad y Gymraeg. Os darluniodd ei ragflaenwyr fyd dinewid a threfnus yr ideâu tragywydd, darluniodd yntau oriogrwydd byr ac annibendod byd ffaith a mater :

Un fodd yw'r byd, cyngyd cêl,
â phaentiwr delw â phwyntel,
yn paentio delwau lawer
a llu o saint â lliw sêr . . .
felly'r byd hwn, gwn ganwaith,
hud a lliw, nid gwiw ein gwaith.

112

Ac oddi wrth y byd hwn, yr unig fyd yr oedd gan *scientia experimentalis* sicrwydd am ei fod, troes y bardd at fyd y datguddiad Cristnogol, at yr unig dragywydd ddigyfnewid, na allai rheswm na gwybodaeth prawf, yn ôl Ockham a'i ddilynwyr, mo'i gyrraedd, ond a roddid yn rhad Duw ac yn brofiad i ffydd :

> Ni phery'r byd, gyd goednyth,
> a'r nef fry a bery byth.

Bardd pesimyddiaeth Gristnogol yw Siôn Cent. Y mae'n anodd meddwl y gall sylwadaeth wirioneddol ar fywyd arwain i ddim arall.

Ond yn ei oes ei hun ni chafodd ddilynwyr. Gwahanol iawn oedd tynged ei waith i dynged Dafydd ap Gwilym. Paham ? Anodd yw ateb gyda dim sicrwydd, ond gellir awgrymu pwynt neu ddau i'w hystyried. Yng nghyfnod Einion Offeiriad ac Ancr Llanddewibrefi yn y 14fed ganrif bu'r ysgolion eglwysig yng Nghymru yn ddiwyd yn astudio athroniaeth a chyfriniaeth, a gwelsom mor fywiol fu effaith hynny ar ryddiaith ac ar farddoniaeth Gymraeg. Nid oes gennym gymaint corff o ryddiaith athronyddol yn y bymthegfed ganrif, ac nid yw'n debyg iawn fod dim sylweddol ychwaith wedi ei golli mewn llawysgrifau. (Ond gweler er hynny erthygl yr Athro Ifor Williams, *Pennod o Genesis yn* 1510, yn *Y Geninen,* 1925). Y tebyg yw na ddaeth Nominaliaeth, yr enw a roddwyd ar ysgol athronyddol Ockham, ddim i ysgolion Cymru. Wedi darfod am obaith Glyndŵr i sefydlu dau o *studia generalia* neu ddwy brifysgol yng Nghymru, odid nad ysgeifn oedd y cyrsiau athroniaeth yn yr ysgolion yr addysgid yr offeiriad ynddynt. Ni chasglwyd eto dystiolaeth a'n helpa i wybod pa gyfathrach a fu rhwng yr ysgolion hyn a'r ysgolion y tu allan i Gymru. Brolia Ieuan Deulwyn yr athrawon Cymreig :

Diachos yw Rhydychen
am fod art ym Meifod wen.

Dengys cywyddau Guto'r Glyn fod gan abad Ystrad
Fflur gysylltiadau galwedigaethol â Rhydychen, ac y
mae'n hynod mai yn yr un cywyddau y ceir yr atsain
egluraf o syniadau Siôn Cent (*Peniarth* 57, tud. 18).
Ond y mae cyfeiriadau'r beirdd yn amlach at efrydiau
llenyddol Cymraeg a Lladin yn y mynachlogydd nag
at efrydiau athroniaeth. Heblaw hynny, hyd yn oed
ym mhrifysgolion Ewrop fe amheuid uniondeb Nominal-
iaeth, a diau mai oeraidd fuasai'r athrawon eglwysig
Cymreig tuag at syniadau Siôn Cent. Heb gymhelliad
felly oddi wrth yr athrawon clerigol, hawsaf peth oedd
i'r penceirddiaid fodloni ar draddodi'r ddysg gyffredin
i'w disgyblion, a chawn weld yn y bennod nesaf sut y
datblygodd honno yn y bymthegfed ganrif. Ond pan
ddaeth y Dadeni Dysg i Gymru yn yr unfed ganrif ar
bymtheg, gwelodd Gruffudd Robert ac Edmwnd Prys
hadau barddoniaeth newydd yng ngwaith Siôn Cent,
barddoniaeth a gydweddai ag amcanion llenyddol deff-
road eu hoes hwy. Gwelsant ynddo eu hunig ragflaenydd
ym mhlith beirdd yr Oesoedd Canol yng Nghymru. A
da y barnasant. Canys y mudiad athronyddol y perth-
ynai Siôn Cent iddo a gychwynnodd y newid mawr
mewn athroniaeth a ddymchwelodd Ysgoliaeth (*Schol-
asticism*) ac a greodd y meddwl modern. Nid hynny'n
unig. Mewn llenyddiaeth Gymraeg hefyd, dilynwyr
Siôn Cent, etifeddion ei athrawiaeth ef i raddau helaeth,
yw beirdd y Dadeni ; ac y mae awdur *Gweledigaeth Cwrs
y Byd* yn y *Bardd Cwsc* yn ddisgynnydd diweddar ond
sicr i'r cywyddwr a gyhoeddodd :

Ystad bardd astudio byd.

114

Y Ganrif Fawr, 1435—1535

YR anhawster pennaf a gawsom wrth ysgrifennu'r penodau blaenorol oedd fod beirniadaeth destunol a hanesyddol ar lenyddiaeth y cyfnodau yr ymdrinid â hwynt eto yn ei chychwyn. Yn y bennod hon yr ydys yn ymdaro yn erbyn rhwystr gwahanol : y mae dogn helaeth iawn o farddoniaeth y bymthegfed ganrif a'r unfed ar bymtheg yn aros o hyd mewn llawysgrifau heb na'i gasglu na'i olygu, ac ymysg y pethau nas cyhoeddwyd y mae gweithiau beirdd tra enwog. Felly ni ddichon neb eto roi dosbarth ar gyfoeth barddoniaeth y cyfnod 1435—1535, sef y cyfnod ar ôl Siôn Cent hyd at uniad gwleidyddol Cymru â Lloegr. Er hynny fe gyhoeddwyd digon hefyd inni fedru mentro barn ar werth y corff hwn o farddoniaeth, ond bydd yn well mynegi'r farn honno mewn dull hollol bersonol ; ni all hi eto fod yn fynegiant o gydsyniad cyffredin a thraddodiadol, megis barn Ffrainc ar lenyddiaeth oes Louis XIV neu farn Lloegr ar lenyddiaeth oes Elizabeth. Fy marn bersonol i gan hynny yw mai'r farddoniaeth yr ymdrinir â hi yn y bennod hon yw coron datblygiad cerdd dafod Gymraeg ac mai teg yw galw'r cyfnod a'i cynhyrchodd yn Ganrif Fawr.

Toreth barddoniaeth y ganrif yw ei nodwedd flaenaf. Edrycher ar y *Mynegai i Farddoniaeth y Llawysgrifau* gan Mrs. Louis Jones a'r Athro Henry Lewis. Llyfr anhepgor i bob efrydydd ydyw, canys ceir ynddo fynegai i'r cywyddau a'r awdlau sydd ar gael mewn llawysgrifau ac a sgrifennwyd yn y bedwaredd ganrif ar ddeg a'r bymthegfed. Yn y " Rhestr o'r Beirdd " ceir un a thrigain a chant o enwau, ac i'r bymthegfed

ganrif y perthyn y mwyafrif mawr ohonynt. Odid na
ddengys hynny ar ei ben ei hun y ffyniant a fu ar alwed-
igaeth cerdd dafod yn y cyfnod hwn, a chofier bod llu
o'r hen lawysgrifau wedi eu chwalu a'u colli. Yr hanes-
wyr biau penderfynu pa oleuni a deifl ffyniant anghyff-
redin crefftau barddoniaeth a miwsig ar gyflwr cym-
deithasol Cymru yn y bymthegfed ganrif. Tywyll yn
gyffredin fu eu darlun hwy o Gymru yn ystod rhyfel-
oedd y Rhosynnau. Nid yw'r dystiolaeth lenyddol, a
dweud y lleiaf, yn gwarantu'r portread unlliw. Ni
lwyddodd neb eto i ddisgrifio'n llawn gefndir cym-
deithasol barddoniaeth y cyfnod. Erys llawer iawn o
ddefnyddiau cyfoethog heb eu hystyried. Rhaid crynhoi
i baragraff byr yr hyn sy'n perthyn i'n hamcan presennol
ni. Cofier bod ffyniant galwedigaeth y beirdd a sistem
y cylchdeithiau clera yn rhwym wrth y dull Cymreig
o ddal tir a'i etifeddu. Y dull hwnnw oedd rhannu'r
tir ar farwolaeth pen teulu rhwng yr holl blant. Golygai
hynny fod rhan helaeth iawn o boblogaeth Cymru yn
fân gyfalafwyr annibynnol a rhydd. Hwy oedd yr
uchelwyr. Ychydig oedd nifer yr arglwyddi tra chyf-
oethog, ond yr oedd y cyfalafwyr bychain yn niferus,
a chadwai'r gyfundrefn eu nifer rhag lleihau'n ormodol.
Eu nifer a'u hannibyniaeth a'u gafael gyndyn yn y
traddodiadau Cymreig a ddiogelai gynhaliaeth y beirdd
a'r cerddorion. Hwy oedd asgwrn cefn ein gwareiddiad.
Cymerwn ddisgrifiad gan fardd digon cyffredin o aelod
digon cyffredin o'r dosbarth annibynnol hwn. Cywydd
gan Huw Dafi i ryw William ydyw :

> Efô gâr awdl ac araith,
> efô ŵyr synnwyr y saith,
> crwth eilwaith croyw a thelyn,
> cywydd i Forfudd a fyn,
> cerddwriaeth llyfr cerddorion,
> canuau'r brudiau o'r bron . . .

Tair rhodd a fwriodd efô
im unwyl pan fûm yno,
bwrw gŵn a bara gwenith,
a nobl o aur yn ei blith.

Dirmygodd rhai beirniaid foliant y beirdd i'r "mân foneddigion" a rhoesant arlliw gwawd ar yr ansoddair unsillaf. Ni ddylid hynny. "Mân foneddigion" oedd rhan helaeth o boblogaeth Cymru yn y cyfnod Cymreig, a phan frysiwyd eu dinistr hwy darfu am oes aur ein llenyddiaeth. Arwydd, ond odid, yw nifer anghyffredin y gwŷr wrth gerdd dafod a thant yn y bymthegfed ganrif nad oedd dirwasgiad llethol o gwbl, er gwaethaf rhyfeloedd, ar y dosbarth hwn. Fe geid, bid sicr, farddoniaeth rhyfel a chwyno colledion a gormes, ond rhaid credu dan bwys y dystiolaeth lenyddol fod bywyd yng Nghymru yn ystod y rhyfeloedd yn fwy normal a dymunol nag a ddysgwyd yn gyffredin. Nid hwyrach y gellir mynd gam ymhellach.

Os ceisiwn eiriau i ddiffinio *ethos* neu naws barddoniaeth y cyfnod hwn, diau mai'r gair cyntaf yn ein diffiniad fydd: llawenydd. Y mae'r nodyn hwn yn fwy pendant yn awr nag mewn unrhyw ganrif arall yn hanes ein llenyddiaeth. Llawenydd cymdeithasol ydyw a moliant yw cyfrwng ei fynegiant. Ond y mae "moliant" yn y cyfnod hwn yn fwy gwrthrychol a diriaethol ac yn fanylach ei ddisgrifiadau nag oedd yn oes Einion Offeiriad. Diflannodd "arall-fydolrwydd" y traddodiad Platonaidd. Ni ddefnyddir enwau haniaethol na thermau cyffredinol mor aml â chynt. Er na chroniclir unrhyw newid yn athrawiaeth ysgolion y beirdd (ond efallai y dangosai dadansoddiad gofalus o'r *Graduelys* yn llawysgrif Hafod 24 fod datblygiad yn hynny hefyd), nid ysbryd Realiaeth eithafol a amlygir o gwbl yn y moliant hwn, ond yn hytrach ysbryd newydd a luniwyd gan ddysg Aristotelaidd gyffredin y cyfnod. Y mae'r byd yn bod yn sylweddol ynddo, a'r byd hwnnw, byd ffaith a chig a gwaed, yw sylfaen ei lawenydd. Disgrifir " ameuthunion " bwyd a diod gyda hwyl a manyldeb a gwybodaeth eang gan Lewis Glyn Cothi a Thudur Aled :

Pysgod, adar mewn bara,
pasteiod, hen ddiod dda,
llanw wyth bord, lluniaeth bêr,
llysiau siopau ar swper,
sewer o bob llysieuyn,
seigiau ar gwrs a siwgr gwyn,
medd a wnâi brwysgedd i'm bron,
maeth hwn ag ameuthunion.
Fy swydd, er hyd fo'r flwyddyn,
gyda'r llew, bes gadai'r llyn,
darllen ein dau'r llyfrau'n llwyr,
dileu sôn, dadlau synnwyr ;
o bai ddwywers heb ddeall,
a'r naill wers ar ran y llall,
Dafydd, wrth gywydd Gwiawn,
a'i deall im mewn dull iawn.

Dyma'r math o ddisgrifiad, pes ceffid mewn Eidaleg tua therfyn y bymthegfed ganrif, a dderbynnid fel enghraifft nodweddiadol o ysbryd dyneiddiaeth (*human-ism*) y Dadeni Dysg a'i ddull uchelfoes o gyfuno mwynhad y genau a'r deall. Y mae barddoniaeth Gymraeg y bymthegfed ganrif yn gyfoethog o bethau tebyg, pethau sy'n mynegi o ddyddiau'r Simposion hyd at heddiw berffeithrwydd llawenydd cymdeithasol yng ngwledydd Ewrop. Nid oedd y peth ychwaith yn ddieithr mewn Cymraeg, fel y gwelsom wrth fwrw golwg ar farddoniaeth y bedwaredd ganrif ar ddeg. Ond y mae'r manyldeb a'r gorfoledd mewn disgrifio pethau unigol yn rhinwedd arbennig ar feirdd y bymthegfed ganrif. Nid digon gan

Lewis Glyn Cothi, awdur y darn uchod, sôn yn gyffredinol am win ac osai a medd, eithr disgrifia uchelwr o Faelienydd yn danfon men i Weblai i gyrchu cwrw enwog y lle, ac am ei win, "ei win y gaeaf fu'n y Gien" ar lannau Loire, ac enwa'r bardd lu o wahanol winoedd, gwinoedd Rhôn a Rhein, Rosiel, Bwrgwyn, Bwrdios, Mwsgadel, ac ychwaneg lawer, a dengys aml gyfeiriad achlysurol ei wybodaeth a'i farn chwaethus ar brif ddiod dysg a gwareiddiad. Y mae rhagoriaeth barn beirdd gorau'r bymthegfed ganrif ar ameuthunion bwyd a llyn yn gynnyrch ysbryd diriaethol y ganrif a'i llawenydd ym "mhethau" sylweddol y byd a brofir ac a deimlir. Y *connoisseurs* biau barddoniaeth Gymraeg y Ganrif Fawr.

Yn gwbl naturiol fe feithrinodd yr ysbryd hwn offeryn mynegiant priodol iddo'i hun. Ni ellir dweud mai yn y bymthegfed ganrif y crewyd gyntaf yr awdl na'r cywydd gofyn, ond y ganrif honno yn sicr yw cyfnod eu blodeuo helaeth a rhagorol, a'i hysbryd arbennig hi a gorfforir ynddynt. Hwynt-hwy yw cynnyrch mwyaf nodweddiadol y cyfnod. Syml ddigon yw cynllun yr awdl neu'r cywydd gofyn : egyr y bardd drwy enwi a chlodfori ei arwr yn y dull moliant cyffredin, yna disgrifia'n fyr y person yr eirch ef rodd drosto (câr yn bur aml i'r gŵr yr erchir ganddo), ac yna try i ddisgrifio'r rhodd a ofynnir. Moliant yw'r disgrifiad hwn hefyd, portread delfrydol o'r gwrthrych. Fe bery hynny, wrth gwrs, tra pery ysgol gan bencerdd, ac o'r herwydd fe ymdebyga'r disgrifiadau yn y cerddi gofyn i'w gilydd yn union megis y disgrifiadau o'r arglwydd yn yr awdlau moliant. Er hynny mae mwy nag un peth newydd yn y cerddi gofyn.

Personau a chymdeithas raddedig dynion oedd testunau pennaf barddoniaeth yn ôl *Gramadeg* Einion Offeiriad, a hynny fuasai traddodiad cerdd dafod o ddyddiau Taliesin ymlaen. Ond yn y cerddi gofyn daw llu o wrthrychau byw a difywyd, creaduriaid y maes a chynhyrchion crefft, yn rhan o dreftadaeth barddoniaeth. Ceir gofyn neu ddiolch am feirch, cesig, ebolion, teirw du a choch, gwartheg, ychen, ŵyn, eleirch, peunod, bytheiaid a milgwn, hebogau, gwenyn, âb, gwn, bwcled, bwa, cleddyf, cyllell cynydd, tarian, pais arfau, dwbledau, mentyll, huganau, cyfrwyau, harneisiau, men, rhwyd, cwrwgl, meini melinau, gwely a dillad gwely, ffiol, telyn, llyfrau, paderau, a phethau eraill yn ddiau nas cofiaf yn awr. Disgrifir, dyfelir, clodforir y rhain oll ; maent yn destunau moliant yn union megis arglwydd neu abad. Y mae gwyrth bodolaeth a sylwedd ynddynt. Byd o bethau unigol a champ ar bob un ohonynt yw byd barddoniaeth weithian. Byd dynol ydyw ; pethau sy'n gwasanaethu dyn ac yn " dysgu anrhydeddu dyn " yw ei bethau. Ond eu dull hwy o anrhydeddu dyn yw bod yn gain eu llun a'u gwneuthuriad. Hoff gan y beirdd yn y cyfnod hwn eu galw eu hunain yn seiri ar goed awdl a chywydd. Nid peth ar ei ben ei hun oedd cerdd dafod iddynt hwy, ond un gerdd ymysg llawer, y bwysicaf yn ddios, y gerdd freiniol, megis drwy Ewrop oll cyn y Dadeni, ond yr oedd cerdd y saer, y gof, y telynor, y paentiwr (ceir degau o gyfeiriadau ato), y cog, y towr, oll o'i chwmpas, yn llunio bob un ei champ briodol, ac yn eu byd hwy y symudai'r bardd, a moli eu gwaith hwy oedd un o orchwylion ei ganeuon gofyn. Mewn gwlad goediog fel Cymru, seiri coed o anghenraid oedd y prif artistiaid. Ceir wmbredd o glod i'w gwaith yn y cywyddau moliant a naturiol oedd i'r bardd gyffelybu ei grefft ei hun i grefft y saer. Mewn byd o bethau artistig y trôi'r beirdd, a chamddeall holl natur gwareiddiad yr Oesoedd Canol a thraddodiad celfyddyd cyn y Dadeni Dysg a barodd ddweud ym mharagraff 13 o'r *Gymraeg mewn Addysg a Bywyd* na bu yng Nghymru gelfyddyd erioed ond celfyddyd iaith. Llwyr groes i hynny yw'r gwir, ac megis mai anodd heddiw yw i Gymro dyfu'n *connoisseur* heb iddo deithio'n gyson y tu allan i Gymru, felly yn y bymthegfed ganrif amhosibl oedd i fardd fyw yng Nghymru na mynychu tai nac eglwysi Cymru heb ei fod yntau'n magu barn a chwaeth mewn pethau artistig. Nid yw diddordeb mawr beirdd y ganrif ym mherffeithiad cywydd ac awdl namyn arwydd o ysbryd cyffredin y cyfnod.

Ond bywyd yr awyr agored a ddisgrifir yn bennaf yn y cywyddau gofyn. Meirch a chŵn a hebogau a theirw a ofynnir amlaf. Arwydd yw hyn hefyd o'r ystwytho a fu ar egwyddor hieratig traddodiad y beirdd. Pan eglurai Einion Offeiriad sut y dylid moli pob peth, ei fethod ef oedd penderfynu'n gyntaf le arbennig y gwrthrych yng nghyfundrefn statig bodolaeth, ac yna gasglu oddi wrth hynny y rhinweddau priodol i'r swydd a'r cyfle. Oddi wrth y cyffredinol at yr unigol y symudai'r meddwl, ac nid oedd gan sylwadaeth ar yr unigolyn ran o gwbl yn y drefn. Eithr ni ellid hynny wrth foli gwalch neu farch neu fwcled. Rhaid i'r drefn fod yn llwyr wrthwyneb. Hyd yn oed os myn y bardd ddisgrifio'r delfrydol a'r cyffredinol, rhaid iddo ddibynnu ar sylwadaeth o'r dechrau i'r diwedd. Felly pan ddisgrifia Gutyn Owain fwcled :

> Mae main, ar bob adain bol,
> mân gwynion fel main gwennol,
> gwlith y gof, gloyw a theg ynt,
> gwiw flodau gefail ydynt,—

y mae'n eglur fod llygaid y bardd ar y gwrthrych. Disgrifia beth a fu yn ei law. Teimlodd â'i fysedd yr hoelion caboledig a dotiodd ar gelfyddyd y gof.

Gwelir yr un egwyddor yn fynych yn y cywyddau moliant. Bodloner ar un enghraifft allan o gywydd Gwilym ab Ieuan Hen i Ruffudd ap Nicolas :

> Gair o'th enau, gwyrth uniawn,
> gair isel yw, grasol iawn ;
> y llyn dyfnaf o'r afon,
> isaf fis haf yw ei sôn ;
> y doeth ni ddywaid a ŵyr,
> nid o sôn y daw synnwyr ;
> a fo doeth, efô a dau,
> annoeth, ni reol enau.

Craffwn ar broses y meddwl. Dechreua'r bardd drwy sylwi ar gynneddf neilltuol ar Ruffudd, sef ei barabl isel. Wedyn daw cyffelybiaeth brydferth sy'n codi hefyd o sylwi a chofio. Yna o'r ddwy enghraifft arbennig fe dynn ei gasgliad cyffredinol yn y trydydd cwpled ; ac yn y cwpled olaf fe ddyry i'r cwbl ei ffurf haniaethol, gyferbyniol, derfynol, gan godi hyd at y ddau fath o Fod

> A fo doeth, efô a dau,
> annoeth, ni reol enau.

Y mae'r drefn hon yn gwbl groes i'r hyn a geid gan Einion Offeiriad. Oddi wrth yr unigol at y cyffredinol y symuda'r meddwl. Ni phaid y cyffredinol â bod yn hanfodol, ond y mae'r dull y deuir o hyd iddo yn llwyr wahanol. Mewn gair, cefndir Aristotelaidd ac nid Awstinaidd sydd i'r canu hwn, ac y mae hynny'n gyffredin i holl farddoniaeth y cyfnod. Nid yr un math o ysbryd sydd gan feirdd y ganrif hon ag a fuasai gan eu blaenoriaid yn y bedwaredd ganrif ar ddeg, ac ni pheidiodd y traddodiad llenyddol â thyfu a newid yn fawr er cadw ohono o hyd ei unoliaeth.

Heblaw'r llawenydd newydd hwn ym mhethau'r byd gwrthrychol ceir hefyd ym marddoniaeth y bymthegfed ganrif ysbryd hyder a ffydd yng Nghymru. Gwelir hynny'n glir yn y cerddi brud. Barddoniaeth rhyfeloedd y Rhosynnau oedd y rhain yn bennaf. Astudiwyd hwynt yn ddyfal gan ysgolheigion, ond erys eto lawer o anhawster ar ffordd eu deall a'u trefnu. Y mae wmbredd ohonynt yn dywyll ac anniddorol erbyn hyn,— dyna dynged llawer o ganu politicaidd ym mhob cyfnod— ond yn eu plith fe geir hefyd awdl neu ddwy a chlwm o gywyddau nerthol, tanbaid, sy'n dangos rhyfeloedd y Rhosynnau fel rhyfel rhwng Cymru a Lloegr ac ail-gychwyn ymdrech Owain Glyndŵr, ond gyda gwell gobaith na chynt a ffydd mewn buddugoliaeth Gymreig. Y mae'r cywydd *Hir y buam dan amod* (I.G.E., 136) yn un o bethau grymus barddoniaeth wlatgarol, yn gamp-waith teilwng o Leopardi yn ei blethiad o ofid a ffydd :

Addas i'r môr, glasfor glân,
treio agos i'r traean,—
trosodd drachefn y treisia,
tros fan y ddwylan ydd â.

Y gobaith hwn am ailgodiad haul, dyna'r hyn a adawodd Glyndŵr yn ysbrydiaeth i feirdd Cymru drwy gydol rhyfeloedd y Rhosynnau, hynny a'i enw ei hun yn simbol, ac un peth dyfnach hefyd, sef ymwybod cenedl a fu drwy ing ac a ddysgodd werth ei thref-tadaeth ei hun yn ddwysach o'r herwydd. Ceir hynny'n bendant gan Ddafydd Llwyd o Fathafarn :

Hors a Hengest oedd estron
i Frud Groeg ac i Ford Gron.

Yr oedd cenedlaetholdeb y beirdd yn beth diriaethol. Cofier mai hwy oedd yr achyddion, a bod cadw achau teuluoedd Cymru yn rhan bwysig o'u busnes. Dengys y llawysgrifau mor drwyadl y gwnaent y gwaith. Iddynt hwy gan hynny yr oedd y genedl yn amgenach na syniad haniaethol : casgliad o *deuluoedd* ydoedd y gwyddent yn fanwl gysylltiad pob un â'i gilydd. Creiriau yn perthyn i'r cartrefi ac i'r teuluoedd a foliennid ganddynt yn eu cerddi oedd traddodiadau Cymru. A'r ymwybod hwn o werth y dreftadaeth Gymreig a'r gwareiddiad Cymreig oedd gwir gymhelliad holl farddoniaeth y ganrif yr ydys yn ei disgrifio. Yr ymwybod hwn a luniodd gymeriad y farddoniaeth honno ac a roes iddi ei phwysigrwydd eithriadol yn hanes cerdd dafod.

Trown at athro pennaf y ganrif, sef Dafydd ab Edmwnd. Cyd-dystia traddodiad a'r marwnadwyr fod ei awdurdod ef yn arbennig yn ei genhedlaeth ei hun a'r genhedlaeth ar ei ôl. Y mae'r marwnadau iddo yn anghyffredin hefyd oblegid manyldeb eu disgrifiadau o'i waith a'i ddelfrydau. Cynhyrfwyd Tudur Aled i gyfan-soddi ffigur sy'n ysblennydd ymhlith holl ffigurau rhetoreg :

> Dafydd a wnâi'r gerdd dafawd
> dyrnod gwn drwy enaid gwawd.

Dengys Lewis Môn yr argraff a adawodd ef ar ei gyd-feirdd :

> Y gerdd oedd fal gardd iddo,

a'r unrhyw feddwl sydd yng nghwpled Gutyn Owain :

> Gŵr a wyddiad o'r gwreiddyn
> buro gwawd fal bara gwyn.

Darlun o un wedi ymgysegru i gelfyddyd a geir yma, gŵr megis Keats neu Mallarmé, artist pur, ond yn byw mewn cyfnod a roddai iddo ddisgyblion a chymheiriaid a gydweithiai ag ef ac a noddai ei amcanion.

Mewn dau gywydd yn enwedig y cyffesodd Dafydd yr ysbryd a'i cymhellai. Pan oedd cyfaill iddo'n bwriadu priodi Saesnes canodd yntau i'w rwystro. Ni elli briodi, ebr ef, canys y mae iti eisoes wraig, yr wyt wedi ymbriodi â thraddodiadau uchelwyr Cymru ac â barddoniaeth Gymraeg :

> Y mae i'm rhi yn briod
> hen wraig a ludd ; hon yw'r Glod ;
> mae rhwym neu ddeurwym ddyrys
> galed rhwng y Glod a Rhys,
> a'r Glod ni ad briodi
> â gwŷr Hors ddim o'i gŵr hi . . .

Yr un yw'r cynhyrfiad yma ag yng nghwpled Dafydd Llwyd a ddyfynnwyd uchod, y syniad bod gwareiddiad Cymreig yn dreftadaeth teulu. A'r unig dro yr ymyrrodd Dafydd ab Edmwnd mewn mater gwleidyddol yn ei farddoniaeth oedd pan welodd ef gyfraith Seisnig yn rhoi dyrnod i galon gwareiddiad Cymru, sef i'w chelfyddyd. Dau beth a rydd i *Farwnad Siôn Eos* ei dwyster grymus ; un yw'r meddwl am y golled i Gymru :

> Torred ysgol tir desgant,
> torred dysg fal torri tant.

Y mae'r ail yn gyffelyb ond yn fwy personol hefyd, sef y cariad angerddol oedd gan y bardd tuag at fiwsig telyn :

> Ti sydd yn tewi â sôn,
> telyn aur telynorion,

ac yna daw'r cwpled dihafal syml :

125

Nid oes nac angel na dyn
nad ŵyl pan gano delyn.

Ond cam â *Marwnad Siôn Eos* yw dyfynnu darnau ohoni. Y mae'r cywydd yn ei gyfanrwydd yn allwedd i holl ddelfrydau'r bardd.

Miwsig y tannau oedd y peth nefolaf y gwyddai Dafydd ab Edmwnd ei brofi. Rhoddi i gerdd dafod y perffeithrwydd hwnnw, gwneud barddoniaeth mor debyg i gainc ar delyn ag a fedrid, hynny oedd ei ddelfryd llenyddol. Hynny a gyfrif am ei arbrofion mewn gorchest, megis yn y cywydd hwn i gyfaill o offeiriad :

I santesau   oes un tasel
a wna teiau   onid Hywel,
o fewn caerau   o fain cwrel
i bawb copiau   o bob capel ;
Un â llengau   yn null angel
o nef enwau   yn ei fanwel
a rydd sensau,   urddas honsel,
elusennau   oel a sinnel . . .

Y mae'r ystyr yn ddigon syml oni bai am y " dieithrwch gair " yma ac acw y dywed Tudur Aled ei fod yn gynneddf ar gywyddau Dafydd, a geiriau ydynt hwythau a ddewiswyd oherwydd eu pertrwydd a'u perseinedd. Darllener y llinellau hyn yn uchel ac fe glyw pob clust gymwys yn ebrwydd beth oedd bwriad y bardd : y mae'r llinellau bron iawn â'u canu eu hunain fel clychau neu dannau. Ceir yr un rhinwedd ar ei gywydd llosgyrnog :

Y mae goroff em a garaf
o gof aelaw ac a folaf
o choeliaf gael ei chalon,
am na welais i, myn Elien,

o Lanurful i lyn Aerfen
wawr mor wen o'r morynion . . .

ac ar ei awdl gywydd :

Llawenaf lle o Wynedd
yw llys medd a llysiau Môn,

ac ar gwpledau lu o'i gywyddau cyffredin, megis hwn
yn ei gywydd ar enwau merched gyda'i gynghanedd
drawslusg odidocaf :

Alis, Isabel, Elen,
Efa neu Nest fy nyn wen.

Nid rhyfedd i Lewis Môn ddweud bod y gerdd fel
gardd iddo. Fe gyffyrdda Dafydd â gair megis petai'n
ddeilen rhosyn neu'n dant ar delyn. Yr un serch at
fiwsig mewn pennill a barodd iddo ddyblu'r odlau mewn
rhupynt a thawddgyrch. Symudodd ei chwilfrydedd
cywrain o fesur i fesur ac o orchest i orchest gan brofi
pa faint o delynegrwydd a fedrid ar bob un. Ac yn
hynny nid yw ef namyn arweinydd ei gyfnod. " Ein
patrwn oedd ", ebr Lewis Môn. Cynhaliwyd dwy
eisteddfod gerddorion yn y ganrif fawr, un yn 1451 yng
Nghaerfyrddin, y llall yn 1523 yng Nghaerwys. Yn
llawysgrif Peniarth 267 croniclir ffaith hynod am
Eisteddfod Caerfyrddin : " Yn yr eisteddfod honno yr
enillodd Cynrig Bencerdd o Dreffynnon y Delyn arian,
a Rhys Bwtting o Brystatun a enillodd y tafod am
ddatgeiniad (a Dafydd ab Edmwnd a enillodd y Gadair),
ac felly y daeth y tri thlws, sef y Gadair, y Delyn a'r
Tafod i Degeingl ". Dengys hyn fod Dafydd ab
Edmwnd yn troi'n feunyddiol mewn cymdeithas o
feistri miwsig a chelfyddyd, arweinwyr eu cenhedlaeth :

Tair cerdd yn y tir y caid.

Ei drefniad ar fesurau cerdd dafod, trefniad sy'n derfynol hyd at heddiw, a enillodd i Ddafydd ab Edmwnd ei awdurdod mawr. Gan ei ddisgybl a'i nai, Tudur Aled, y setlwyd yn derfynol reolau cynghanedd yn eisteddfod Caerwys. Os ychwanegwn at hynny mai disgybl arall i Ddafydd, sef Gutyn Owain, yw'r bardd telynegol cywreiniaf ar gywydd ac awdl a welodd y ganrif, eglur yw mai mewn gwerthfawrogiad o amcanion ac athrawiaeth Dafydd a'i ysgol y ceir yr allwedd i fawredd y cyfnod clasurol ar farddoniaeth Gymraeg.

Ceisiwn yn awr ddisgrifio gwaith y ganrif a naws ei gorchestion. Y peth cyntaf y dylid rhoi pwys arno, peth yn wir sy'n gynwysedig yn y disgrifiad a roddwyd eisoes o anian y ganrif, yw'r ysbryd beirniadol a'i rheolai. Hynny'n ddiau yw un o nodweddion sicraf unrhyw gyfnod clasurol. Campweithiau beirniadol yw trefniad Dafydd ab Edmwnd ar y mesurau a threfniad Tudur Aled ar y cynganeddion. Mewn ysgrif bwysig yn y *Cymmrodorion Transactions* 1908-9 gwnaeth John Morris-Jones gyfiawnder â'r cywreinrwydd barn, y sicrwydd chwaeth a'r ystwythder haelfrydig a amlygwyd gan reolau cynghanedd Tudur Aled. Y mae'n hwyr glas gwneud iawn cyffelyb i lafur Dafydd ab Edmwnd ar y mesurau. Bu'n arfer gan y beirniaid ers canrif a mwy ladd ar "gaethiwed" ei reolau. Ni ddangosasant fawr amgyffred o'i amcanion nac o ysbryd ei waith. Hoeliasant eu sylw ar y ddau fesur newydd a ddyfeisiodd ac ni phrisiasant na'r deall hyddysg na'r clustfeinder na'r parodrwydd i groesawu datblygiad a ddisgleiriai yng ngweddill ei drefniad. Ac nid ar ei ben ei hun na chyda'i ddisgyblion ei hun yn unig yr astudiai Dafydd ab Edmwnd y problemau technegol hyn. Dengys gorchestion ac "awdl enghreifftiol" Dafydd Nanmor (*Cerdd Dafod*, 379) ei fod yntau mor ymroddgar iddynt â'i gyfoeswyr. O'r ddau hyn Dafydd Nanmor oedd y

bardd mwyaf,—y gŵr tebycaf i Fyrsil a welodd llenydd-
iaeth Gymraeg ; ond gan Ddafydd ab Edmwnd yr oedd
yr athrylith feiddgar feirniadol a'r sicrwydd clust. Ef
oedd yr athro. Ac nid afraid yw dweud mai mewn
dysgu ac arwain yr amlygid athrylith feirniadol yn yr
Oesoedd Canol. Peth diweddar, a ddatblygodd allan o
dueddiadau'r Dadeni, yw'r ysgariad rhwng beirniadaeth
ac ymarfer neu greadigaeth. Yn ystod yr oesoedd y
ffynnai prentisiaeth mewn celfyddyd, meistr a chrewr,
un yn dysgu drwy esiampl ac ymarfer a thrwy ym-
ddiddan beunyddiol oedd y beirniad : athro ydoedd.

Meddiannu'r holl draddodiad llenyddol oedd nod
beirdd y ganrif. Darfu'r dadlau ynghylch Dafydd ap
Gwilym. Cydnabuwyd yn hael ei fawredd, ac yn yr
ystwytho a fu ar ddysgeidiaeth yr ysgolion rhoddwyd
i'w ganu yntau y lle blaen a haeddasai. O fod yn olaf
yn rhestr tair cainc prydyddiaeth codwyd y cywydd i'r
lle cyntaf. Y mae'n weddol sicr mai Dafydd ab Edmwnd
a fu'n gyfrifol am fri newydd ap Gwilym. Cysylltir ei
enw mewn modd arbennig ag enw ei ragflaenydd gan
ei farwnadwyr, a mesur ei werthfawrogiad ef o awen
ap Gwilym yw'r toreth diderfyn o gywyddau yn ei ddull
a gyfansoddwyd gan feirdd y cyfnod. Yn eu plith ceir
telynegion perffaith gan Ddafydd ab Edmwnd ei hun,
gan Ddafydd Nanmor a Gutyn Owain.

Adnewyddwyd yr awdl. Rhoddwyd iddi rinweddau
ffurfiol a'i gwnaeth yn ddrych i ysbryd artistig y ganrif.
Dywedasom mai'r hyn oedd yn brin yn awdlau'r Gogyn-
feirdd oedd *cân*. Camp Dafydd Nanmor a Gutyn Owain
a Lewis Glyn Cothi oedd llunio'r awdl yn gyfanbeth
telynegol crwn. Rhaid mynd at ddarnau o fiwsig gan
Mozart er mwyn cael cymhariaeth briodol i'w hawdlau.
Trigain llinell sydd yn awdl Dafydd Nanmor i Rys o'r
Tywyn, pymtheg llinell a thrigain yn ei awdl farwnad i

Domas ap Rhys. Ceir cyfres o saith neu naw englyn wedi eu rhwymo wrth ei gilydd drwy gyrch gymeriad, yna cyfres o doddeidiau neu wawdodynau ac un brifodl iddynt oll, a'u dechrau a'u diwedd yn ymgadwyno drwy gyrch gymeriad yn nechrau a therfyn yr englynion. Felly, drwy gymeriad ac odl a chynghanedd y mae'r awdl gyfan yn un we o benillion cydymddolennog. Anodd yw dyfynnu darnau o'r awdlau hyn. Yr awdl gyfan yw'r uned, er bod llawer pennill yn hynod gan ddwyster neu bertrwydd ymadrodd. Er hynny, nid cywreinrwydd gwead yw eu hunig arbenigrwydd. Yn gyffredin y maent mor syml a llwythog o ystyr ag ydyw'r cywyddau. Tebyg yw'r arddull yn y ddwy gainc. Terfynir y frawddeg gan y pennill. Rhoddwyd heibio'r dull paragraffaidd, gyda'r " tropi " ansoddeiriol, a hoffasid gan feirdd y bedwaredd ganrif ar ddeg. Gwrthodid hyd yn oed y geiriau cyfansawdd grymus, a fuasai erioed yn dreftadaeth yr awdl, oni byddent hefyd yn llyfn. Y cyfuniad hwn o lyfnder a beichiogrwydd yw priodoledd beirdd y ganrif. Ac nid gan y beirdd blaenaf yn unig y ceir ef. Y mae'n ddawn gyffredin. Ieuan Deulwyn biau'r llinell lwythog hon o eiriau syml :

O bu a fu, och o'i fod.

Ceir yr un grym cystrawennol yn llinell gyntaf y cwpled a ganlyn gan Ieuan Tew Brydydd, ac yn yr ail linell, sydd â'i seiniau'n efelychu sŵn y peth a ddisgrifir, ceir enghreifftiau cain o ddull y cyfnod mewn geiriau cyfansawdd :

Poenodd a'th garodd na'th gâi,
pryd ffrwd caregryd croywgrai.

Huw Dafi biau'r llinellau cyferbyniol a ganlyn sy mor feistraidd eu cystrawen a'u dychymyg :

130

Aflawen ŷm fal y nos
a fu lawen fal eos ;
chwerthin yn nhai'r gwin fu'n gwaith,
o chwerddais, wylais eilwaith.

Gellid casglu blodeuglwm helaeth o bethau cystal gan feirdd digon dinod. Nid mesurau cerdd dafod na'i chynghanedd yn unig a safonwyd yn y ganrif hon, eithr cystrawen y Gymraeg hefyd a'i harddull. Yr oedd cyfundrefn prentisiaeth y beirdd yn ei llawn hwyliau, a'r canlyniad oedd fod safon y crefftwaith yn gyson uchel ; ac megis yn narluniau paentwyr yr Eidal yn y bedwaredd ganrif ar ddeg y mae'n anodd yn aml iawn adnabod rhagor rhwng gwaith meistr enwog a gwaith disgybl a fuasai gydag ef yn ei weithdy, felly y mae'n fynych gyda'r beirdd Cymraeg yn y ganrif fawr. Er enghraifft, nid Dafydd ab Edmwnd biau'r cwpledau a ganlyn, eithr Siôn ap Hywel, gŵr o ymyl Treffynnon, un arall o feirdd Tegeingl a disgybl ond odid i Ddafydd :

> Deurudd fal blodau eirin,
> dau fan goch fal dafnau gwin,
> mae trwyn moddus, gwedduswyn,
> main, bach,—ni bu degach dyn ;
> gwefusau a mannau mêl,
> gwrid brig y cerrig cwrel.

Nid yw bod degau o bethau tebyg i hyn yn yr un cyfnod yn newid dim ar y ffaith fod hwn hefyd yn brydferth ac yn gywrain i'w ryfeddu. Felly gyda cherfiadau pyrth prifeglwys Chartres : nid yw lluosogrwydd y campweithiau cerfiedig tebyg i'w gilydd yn amharu dim ym marn neb deallus ar gamp unrhyw un. Pan wneler yr un math o beth ond â llaw anneheuig, yna y bydd cyfle teg i achwyn.

Ond wedi cydnabod ohonom lafur gwiw y dorf o feistri bychain, rhaid ychwanegu mai nifer toreithiog y meistri mawr yw gogoniant y ganrif hon. Gwnânt hwythau'r un math o waith â'r beirdd llai, ond y mae ar eu naddiad ryw sicrwydd llaw neu rym neu gyfrwyster neu dro arbennig a neilltua'u gwaith yn awdurdodol. Y mae un llinell weithiau yn ddigon i beri mewn darllenydd yr ias a ddywed wrtho ei fod yng nghwmni awenydd. Felly er enghraifft y llinell gyntaf hon mewn marwnad gan Guto'r Glyn :

Mae arch yn Ystrad Marchell,

neu'r cwpled cyntaf yn ei gywydd *I'w Gynhorthwyr, pan oedd yn Hen* :

Mae'r henwyr ? ai meirw'r rheini ?
Hynaf oll heno wyf i.

Gorchestion Beirdd Cymru o gasgliad Rhys Jones (1773) yw'r detholiad gorau hyd heddiw o waith y penceirddiaid hyn. Anodd yw dweud eto a ydyw Ieuan Deulwyn, Gwilym ab Ieuan Hen, Deio ab Ieuan Ddu, a gynrychiolir yn y casgliad hwnnw, ymhlith y meistri, nac ychwaith Ddafydd Llwyd, Tudur Penllyn, Llawdden, Iorwerth Fynglwyd, Lewis Môn. Onid ydynt, y maent hwythau'n gerddorion uwch na'r cyffredin, a gadawsant ar eu holau awdlau a chywyddau nid yn unig nas anghofir ond y sy'n dwyn nodau personoliaeth. Eithr ni ellir petruso ynghylch Dafydd ab Edmwnd, Dafydd Nanmor, Guto'r Glyn, Lewis Glyn Cothi, Tudur Aled, Gutyn Owain. Clasuron yr iaith Gymraeg ydynt. Rhaid aros i'r ysgolheigion gasglu a golygu a chyhoeddi gweithiau'r beirdd hyn cyn y gellir eu gwerthfawrogi'n iawn. Dechreuwyd eisoes. Y mae Dafydd Nanmor a Thudur Aled gennym, a mawredd cymesur y naill a

132

grym ymadrodd y llall bellach yn rhan o'n disgyblaeth Gymreig. A hyd yn oed yn argraffiad gwael 1837 o weithiau Lewis Glyn Cothi disgleiria ei ddynoliaeth lydan ef a'i ddyneiddiaeth eang a'i feistraeth wastad, hapus ddiymdrech ar ei gelfyddyd, yn heulog eglur. Ni ellir mewn llyfr o faint hwn ymdrin â'r beirdd hyn bob yn un fel yr haeddant. Caiff y Ganrif Fawr ymhen y rhawg lyfrau mwy na hwn iddi ei hun a datguddio'n llawn ei chyfoeth a'i champ aruchel. Hoffwn ddeffro chwilfrydedd y darllenydd cyn gorffen drwy awgrymu, pan ddelo'r datguddiad hwnnw, y dangosir mai yng ngwaith Gutyn Owain, y lleiaf ei fri heddiw o feistri'r ganrif, y canfyddir pinacl uchaf ei chreadigaeth. Ef a droes ddelfrydau ei feistr, Dafydd ab Edmwnd, yn sylweddau mewn awdl a chywydd. Ar gywydd gofyn, ar gywydd merch, ar awdl foliant yn arbennig, gwnaeth firaglau o bertrwydd a miwsig a chyfanrwydd. Gorff-ennwn drwy ddyfynnu darn o'i ddisgrifiad o'r cŵn hela :

> Ymddiddan tuag annwn
> yn naear coed a wnâi'r cŵn,
> llunio'r gerdd yn llwyni'r gog
> a llunio angau llwynog ;
> da medrant ar gleinant glyn
> reol mydr ar ôl madyn,
> medran' fesur y ganon,
> musig i'r ewig a rôn',
> carol ar ôl yr elain,
> cywydd ar yr hydd yw'r rhain . . .

TERFYN Y GYFROL GYNTAF.

Nodiadau Llyfryddol

Y MAE llyfryddiaeth gyflawn yn amhosibl. Cyfeirir yn unig at lyfrau ac erthyglau defnyddiol i rai 'n cychwyn ar astudio llenyddiaeth Gymraeg. Ni roddir rhestr o destunau argraffedig oni byddo'n rhaid galw sylw at nodiadau neu ragair hanesiol, etc. Ni ellir ychwaith nodi erthyglau a nodiadau mewn cylchgronau megis *Revue Celtique*, *Zeitschrift für celtische Philogogie*, *Bulletin of the Board of Celtic Studies*, etc., ond yn achlysurol. Wrth gwrs, y maent yn anhepgor.

PENNOD I

John Morris-Jones: *Taliesin*, (Y Cymmrodor, xxviii); a *Cerdd Dafod* (Rhydychen, 1925); T. Gwynn Jones: *Bardism and Romance* (Cymmr. Trans. 1913—14; J. Glyn Davies: *Welsh Bard and the Poetry of External Nature* (Cymmr. Trans. 1912—13); Ifor Williams: Y Gododdin (Beirniad, cyf. I. a II); *Bulletin of the Board of Celtic Studies*, passim, lle y ceir lliaws o nodiadau ar yr hen farddoniaeth gan Ifor Williams; J. Loth: *La Metrique Galloise* (Paris, 1901), yr ail gyfrol a'r drydedd yn parhau 'n ddefnyddiol; J. Lloyd-Jones: *Geirfa Barddoniaeth Gynnar Gymraeg*, Rhan I. (Caerdydd, 1931); Henry Lewis: *Datblygiad yr Iaith Gymraeg* (Caerdydd, 1931), pennod VII.

PENNOD II

E. Anwyl: *The Poetry of the Gogynfeirdd* (Dinbych, 1909); J. E. Lloyd: *A History of Wales* (1912) II, 523—535; T. Gwynn Jones: *Llenyddiaeth y Cymry* (Dinbych, 1915) yr ail bennod; hefyd, *Rhieingerddi'r Gogynfeirdd*, (Dinbych, 1915); J. Vendryes: *La Poésie galloise des xii° et xiii° siècles dans ses rapports avec la langue* (Oxford, 1930), y rhagymadrodd gorau i gelfyddyd y Gogynfeirdd; Henry Lewis: *Hen Gerddi Crefyddol* (Caerdydd, 1931); J. Morris-Jones: *Cerdd Dafod* (Rhydychen, 1925) tud., 262—290, ymdriniaeth bwysig na chafodd eto feirniadaeth o gwbl; D. Myrddin Lloyd: *Geirfa Cynddelw Brydydd Mawr* (B.B.C.S., 1932); J. Lloyd-Jones: *Geirfa Barddoniaeth Gynnar Gymraeg*, Rhan I. (Caerdydd, 1931), gwaith mawr ac anhepgor; Arthur Hughes ac Ifor Williams: *Gemau'r Gogynfeirdd* (Pwllheli, 1910), yn bwysig oherwydd y nodiadau.

NODIADAU LLYFRYDDOL

PENNOD III

AR Y CYFREITHIAU :—A. W. Wade-Evans : *Welsh Mediaeval Law* (Oxford, 1909) ; T. P. Ellis : *Welsh Tribal Law and Custom* (Oxford, 1926) ; *Hywel Dda* : *Codifier*, (Cymmr. Trans., 1926—27); J. Goronwy Edwards : *Hywel Dda and the Welsh Law books* (Bangor, 1929) ; T. H. Parry-Williams : *The Language of the Laws of Hywel Dda* (Aberystwyth Studies, X.) ; J. E. Lloyd : *A History of Wales*, I, 354—356 ; R. T. Jenkins : *Yr Apel at Hanes*, 112—126 ; T. Lewis : *Glossary of Mediaeval Welsh Law* (Manchester, 1913).

Y MABINOGION A'R RHAMANTAU A'R CYFIEITHIADAU :—J. Loth : *Les Mabinogion* (Paris, 1913) ; Alfred Nutt : *The Mabinogion, translated by Lady Charlotte Guest with notes by A. Nutt* (London, 1910) ; W. J. Gruffydd : *Math Vab Mathonwy* (Cardiff, 1928), ceir adolygiad ar y llyfr gan J. Loth, Revue Celtique (cyf. xlvi, 1929), derbyniaf lawer o feirniadaeth Loth, ond nid yw ei adolygiad yn cyffwrdd â thudalennau 322—347 o lyfr Gruffydd, y rhan bwysicaf i'm barn i ; hefyd, Cymmr. Trans. 1912—13, *The Mabinogion* ; Ifor Williams : *Pedeir Keinc y Mabinogi* (Caerdydd, 1930) ; Mary Rh. Williams : *Essai Sur La Composition du Roman Gallois de Peredur* (Paris, 1910) ; Stephen J. Williams : *Ystorya De Carolo Magno* (Caerdydd, 1930) ; *Cyfieithwyr Cynnar* (*Y Llenor*, 1929) ; Henry Lewis : *Chwedlau Seith Doethon Rufein* (Wrecsam, 1925) ; etc., etc.

Y BRUTIAU :—Edmond Faral : *La Legende Arthurienne, Etudes et Documents* (Paris, 1929) ; adolygiad gan J. Vendryes yn y *Revue Celtique*, xlviii, 409—413 ; J. E. Lloyd : *The Welsh Chronicles* (Sir John Rhys Memorial Lecture, 1928) ; Arthur Jones : *The History of Gruffydd ap Cynan* (Manchester, 1910) ; A. W. Wade-Evans : *Life of St. David* (London, 1923) ; J. Lloyd-Jones : *Dewi Sant* (*Y Geninen*, 1923).

PENNOD IV

Ar Einon Offeiriad,—Ifor Williams : Y Beirniad, Cyf. V., a hefyd, Y Cymmrodor, Vol. xxvi, *Awdl i Rys ap Gruffudd gan Einon Offeiriad, etc.* ; J. T. Jones yn B.B.C.S., II., 184 ; J. Morris-Jones : *Cerdd Dafod*.

Ar Iolo Goch,—Henry Lewis : *Cywyddau Iolo Goch ac Eraill* (Bangor, 1925), tud. ix—lxxvii, a thestun ; Saunders Lewis : *Iolo Goch* (*Llenor*, 1926) ; ar y cywydd i Lys Esgob Llanelwy gweler amheuon W. J. Gruffydd yn *Y Llenor*, X, 191, a barn

135

BRASLUN O HANES LLENYDDIAETH GYMRAEG

Ifor Williams yn J. E. Lloyd : *Owen Glendower* (Oxford, 1931), tud. 123, nodiad ; Ar Rys Goch Eryri, gweler rhagymadrodd Ifor Williams yn *I.G.E.*

PENNOD V

Ceir yn Theodor Max Chotzen : *Recherches sur la poésie de Dafydd ap Gwilym* (Amsterdam, 1927) restr lyfryddol gyflawn i Ddafydd ap Gwilym, ond gellir ychwanegu bod T. Parry : *Peniarth* 49 (Caerdydd, 1929) ac Ifor Williams : *Gwyneddon* 3 (Caerdydd, 1931) yn ychwanegiadau pwysig testunol, a defnydd-iais hwynt yn helaeth. Gyda gwaith Chotzen y bydd yn rhaid i bob ymchwil bellach gychwyn.

PENNOD VI

Ar Owain Glyndŵr, J. E. Lloyd : *Owen Glendower* (Oxford, 1931).

Ceir yr holl ddefnyddiau ar gyfer gweddill y bennod yn *Iolo Goch ac Eraill* gyda thestunau a rhagymadroddion. Hefyd, Thomas Roberts yn B.B.C.S. I., 235—240, a IV., 18—32.

PENNOD VII

T. Gwynn Jones : *Llenyddiaeth y Cymry* (Dinbych, 1915) ; W. J. Gruffydd : *Llenyddiaeth Cymru o 1450 hyd 1600* (Lerpwl, 1922) ; T. Gwynn Jones : *Llên Cymru*, rhannau I. a II. (Caer-narfon, 1921), Rhan III. (Aberystwyth, 1926) ; *Cultural Bases*, (Y Cymmrodor, 1921) ; *Gwaith Tudur Aled* (Caerdydd, 1926) ; Thomas Roberts (Porth y Gest) ac Ifor Williams : *The Poetical Works of Dafydd Nanmor* (Caerdydd, 1923) ; Saunders Lewis : *Dafydd Nanmor* (Y Llenor, 1925) ; Thomas Roberts : *Gwaith Dafydd ab Edmwnd* (Bangor, 1914) ; Ifor Williams : *Casgliad o waith Ieuan Deulwyn* (Bangor, 1909) ; G. J. Williams : *Eisteddfod Caerfyrddin* (Y Llenor, 1926), *Gramadeg Gutyn Owain* (B.B.C.S., IV., 207) ; J. Llewelyn Williams : *Guto ap Siancyn* (Y Llenor, 1931) ; W. Garmon Jones : *Welsh Nationalism and Henry Tudor* (Cymmr. Trans. 1917—18 ; Henry Lewis : *Rhai Cywyddau Brud* (B.B.C.S., I., 240) ; etc., etc.

Ni ellir dechrau rhestru testunau syml, ond gyda *Gorchestion Beirdd Cymru* a enwyd yng nghorff y bennod dylid enwi detholiad defnyddiol arall, sef W. J. Gruffydd : *Y Flodeugerdd Newydd* (Caerdydd, 1909).

Er 1932, pan gyhoeddwyd y gyfrol hon, ymddangosodd llu o lyfrau ac erthyglau ar lenyddiaeth Gymraeg o bob cyfnod. Ceir manylion cynhwysfawr yn *Llyfryddiaeth Llenyddiaeth Gymraeg*, gol. Thomas Parry a Merfyn Morgan (Gwasg Prifysgol Cymru, Caerdydd,1976), ynghyd â'r 'Atodiad' gan Gareth Watts a ymddangosodd ym *Mwletin y Bwrdd Gwybodau Celtaidd*, xxx (1982-3), 55-121. Cyhoeddir Atodiadau pellach o dro i dro.